Das hier behandelte Bild ist unter dem Titel »Jakobs Kampf mit dem Engel oder Vision nach der Predigt« bekannt. Der gerade vierzig Jahre alte Paul Gauguin erreichte mit diesem Gemälde seinen künstlerischen Durchbruch. Zweierlei zeigt sich in diesem Bild und schwingt im Doppeltitel nach: die neue Sichtweise von Kunst und der Kampf um diese Sichtweise. Kampf um eine neue Sichtweise und Kampf mit sich selbst bilden aber auch die Grundkonstanten in Gauguins Leben. Insofern ist »Jakobs Kampf mit dem Engel« durchaus als ein Schlüsselbild in mehrerer Hinsicht anzusprechen: Zum einen als Paradigma für seine Kunst, als Gauguins »art poétique« der Malerei, zum anderen als Modell für sein Leben, seine gemalte »condition humaine«. Als eine Art »Lebens-Bild« und »gemalter Kunsttheorie« sollte es darüber hinaus zu einem Gründungswerk des Symbolismus in der Malerei avancieren.

insel taschenbuch 1387

Gauguin

Jakobs Kampf mit dem Engel

# Paul Gauguin
# Jakobs Kampf mit dem Engel

oder Vision nach der Predigt
Eine Kunst-Monographie
von Gundolf Winter
Mit Abbildungen und einer
farbigen Klapptafel

Insel Verlag

insel taschenbuch 1387
Erste Auflage 1992
Originalausgabe

Abbildungsverzeichnis am Schluß des Bandes
Vertrieb durch den Suhrkamp Taschenbuch Verlag
Umschlag nach Entwürfen von Willy Fleckhaus
Satz: Satz Offizin Hümmer, Waldbüttelbrunn
Druck: Nomos Verlagsgesellschaft, Baden-Baden
Printed in Germany

1 2 3 4 5 6 – 97 96 95 94 93 92

# Inhalt

Das Griechische, so schön es
sein mag, ist der große Irrtum.
*Paul Gauguin*

# Die ›Wallfahrt‹

Pont-Aven im Sommer 1888, das war schon lange nicht mehr jener idyllische Flecken am »Ende der Welt« (Finistère), wo man sich einer ganz ursprünglichen Umgebung gegenüber glaubte, jenem »fernen und zugleich fremden Land mit magerem Vieh, kindlicher Kultur, verfallenden Ortschaften, sorglos, abergläubig, trübselig«, wie Maxime du Camp, Freund und Begleiter auf Gustave Flauberts »Voyage en Bretagne« 1847 in seinen »Souvenirs littéraires« vermerkte.[1] Denn in eben dem Maß wie die Bretagne durch die Eisenbahn verkehrsmäßig erschlossen wurde,[2] wandelte sie ihr Gesicht, verflüchtigte sich ihre vormals archaische Identität, bestimmt durch die fremde Sprache, den tiefen Glauben, die urtümlichen Sitten, kurz, durch jene ganz eigene Kultur der gottergebenen Bedürfnislosigkeit.
Dabei waren es nicht zuletzt die Künstler selbst, die den Anstoß zur Zerstörung eines der letzten Paradiese der Ursprünglichkeit in Europa gaben. Verschlug es zunächst die Schriftsteller auf der Flucht vor der »Vie moderne« in diese abgelegene Gegend, so machten sie doch die Maler neugierig: »Quimperlé scheint mir auf die Welt gekommen, nur um als Motiv der Aquarellmalerei zu dienen« (Flaubert). Und die kamen auch rasch nach, um ihrerseits Pont-Aven – nicht weit von Quimperlé entfernt – als »Motiv« zu entdecken. Neben den Franzosen zog es vor allem amerikanische Maler in diese Hafenstadt, Engländer und Skandinavier folgten. 1867 zählte man noch vierzig bis fünfzig Maler in Pont-Aven, 1880 bereits vierzig bis fünfzig Maler in

einer Unterkunft; und spätestens ab 1888 glich die 1000 Einwohner zählende Stadt im Sommer einem riesigen Freiluftatelier, in dem die Maler den Ton angaben, neugierig beäugt von zahllosen Touristen, die sich das Spektakel des Künstler-Sommers in Pont-Aven nicht entgehen lassen wollten.

Die ehemalige Aquarellidylle hatte sich rasch überlebt, das »Motiv« sich der Mode ergeben müssen. In einem Brief an seinen Freund Luce aus dem Jahre 1889 zieht dann auch der Maler Paul Signac schonungslos Bilanz: »Gestern war ich in Pont-Aven. Es ist ein lächerlicher Fleck mit kleinen Winkeln und Wasserfällen, wie geschaffen für Aquarelle malende Engländerinnen. ... Überall Maler in Samtjacken, betrunken und unflätig. Der Tabakhändler hat ein Aushängeschild in Form einer Palette: Artist's Material, die Kellnerinnen tragen kokette Bänder an ihren Hauben und sind wahrscheinlich syphilitisch.«[3] Und dennoch, Pont-Aven, das war im Sommer 1888 auch und ganz besonders der Ort einer entscheidenden Wende zur Malerei der Moderne, eine – wie Signac in jenem Brief ausführt – gleichwohl sehr »seltsame Wiege für den bildnerischen Symbolismus«.

Natürlich – so könnte man fast sagen – waren auch jene drei Männer, die gerade den Aven stadtauswärts überquerten, um dann nach rechts in die »Neue Straße nach Concarneau« (heutige Rue Émile Bernard) einzubiegen, Maler, gehörten sie zu den sommerlichen Künstler-Gästen des Jahres 1888. Die beiden jüngeren trugen vorsichtig ein Bild von ca. 80 × 100 cm Größe (Abb. 1) und gingen voraus; der eine, groß und schlank, mit blondem Bart und sanftem Blick aus hellen blauen Augen, der andere bebrillt, hager und leicht

1 Paul Gauguin, Vision nach der Predigt oder Jakobs Kampf mit dem Engel, 1888

schwindsüchtig. Ihnen folgte ein älterer, d.h. genau 40 Jahre alter Mann von kräftiger Gestalt und sicherem Auftreten. Dabei bezeugte nicht nur das Gesicht mit der markanten Hakennase und den scharf blitzenden Augen unter den schweren Lidern Selbstbewußtsein und Überlegenheit, sondern auch die Wahl seiner ausgefallenen Kleidung: Vom grünen Barett mit Silberquaste über die bretonische, bestickte Weste bis hin zu den mit eigenen Schnitzereien dekorierten Holzschuhen schien alles auf eigenwillige Exklusivität angelegt. Er hatte in der Tat ein eigenes Auftreten, und obgleich er jetzt hinterherschritt, wußte man auf Anhieb, wer in dieser Gruppe den Ton angab, bzw. den Anführer oder Leiter stellte.

Die drei schritten schweigend dahin, einerseits weil der Weg bergan führte und Atem gespart werden mußte, andererseits, weil man in Gedanken dem Experiment vorauseilte, das zu unternehmen sie aufgebrochen waren. So konnte man den Eindruck gewinnen, es handele sich bei dieser Wanderung um einen sehr besonderen Gang, der Ernst und Sammlung erfordere, gemessenes Schreiten auch, ja, um eine Art Wallfahrt. Dies vielleicht umso mehr, als das Ziel der Wanderung wirklich eine Kirche war, die Dorfkirche von Nizon, etwa drei Kilometer von Pont-Aven entfernt, der man jenes Gemälde als Altarbild stiften wollte, das die drei so vorsichtig mit sich führten.
Gleichwohl muß ihr Unternehmen – um genau zu sein – weniger von religiös-frommen als vielmehr von künstlerisch-ästhetischen Motiven bestimmt genannt werden. Zwar sollte das Bild tatsächlich dem Pfarrer von Nizon für seine Kirche übergeben werden, wie auf dem Rahmen des Bildes, der extra für diesen Anlaß gefertigt, in blauer Schrift auf weißem Grund deutlich zu lesen war: »Don de Tristan de Moscoso«. Doch wollte man in erster Linie sehen, wie sich das Bild in der archaisch-sakralen Umgebung dieser mittelalterlichen Landkirche ausmachen würde, und ob es sich inmitten der hölzernen Heiligenfiguren und der grotesken Köpfe an den Dachbalken würde behaupten können. Zumindest war dies die Absicht des Autors des Gemäldes, des eindrucksvollen Älteren: Ein künstlerisches Experiment also, keine fromme Anwandlung gab den Grund für die Stiftung des Gemäldes, wie ja überhaupt nur der jüngste der drei, der 20jährige, Blauäugig-Blondbärtige entschieden religiöse Auffassungen vertrat.

Man hatte nicht den direkten Weg nach Nizon genommen, sondern war einem längeren Fußpfad gefolgt, der durch Kastanienwälder und Buchweizenfelder und vorbei an den Ruinen des Schlosses von Rustephan den Hügel hinauf zur Kirche von Nizon führte. Natürlich war den Dreien der Ort vertraut, den sie nach etwa einer Stunde Fußmarsch erreichten, die alte Kirche mit dem sie umgebenden Friedhof und – besonders hervorzuheben – dem Calvaire, der sie immer wieder in seinen Bann zog. Nicht ohne Grund hatte man gerade diesen Ort für das Experiment ausersehen.
Sie traten in den dämmrigen Raum der Kirche, stellten das Bild in günstigem Licht auf und beobachteten seine Wirkung. In der Tat wird man den Wunsch kaum Künstlerlaune nennen können, dieses Bild gerade hier aufstellen zu wollen. Denn nicht allein die religiöse Thematik, sondern mehr noch die reduzierte und strenge Formgebung in Verbindung mit der starken, großflächigen Farbigkeit, die an Kirchenfenster gemahnt, brachte das Bild sogleich in einen lebhaften Dialog mit dem sakralen Ambiente. Und – das Bild bestand die Probe. Es konnte sich nicht nur halten, nicht nur ›mitreden‹, sondern sogar den Ton angeben. Während der Autor des Bildes sich selbst noch an der Wirkung seines Werks erfreute, eilte der junge Blondbärtige bereits hinaus, den Pfarrer zu suchen, um ihn von dem bevorstehenden Ereignis einer hochherzigen Schenkung in Kenntnis zu setzen.
Er fand ihn nicht im Pfarrhaus, sondern im Garten daneben, das Brevier lesend; fand aber – vielleicht auch wegen seiner Jugend – wenig Widerhall auf seine Worte bzw. die Ankündigung, daß ein großer Künstler ihm und seiner Kirche ein bedeutendes Gemälde stif-

ten wolle. Doch folgte ihm der Pfarrer in die Kirche, wenn auch – wie es schien – mit einigem Vorbehalt und ließ sich das Bild zeigen, stumm. Schließlich fragte er, was denn das Bild darstellen solle. Der Ältere ergriff das Wort und antwortete: »Die Vision der Predigt«. Der Pfarrer starrte auf das Bild, verständnislos und mißtrauisch zugleich. Die ungewohnt einfachen Formen und die starke Farbigkeit verwirrten ihn. Auch vermochte er nicht, die religiöse Thematik zu entdekken; die Unterscheidung dessen, was Haupt- und was Nebensache sein sollte, gelang ihm gleichfalls nicht, ebenso wenig wie die Zuordnung der Figuren und Dinge zueinander. In ihm keimte ein Verdachte auf: Wollte man ihn verulken? Natürlich war auch zu ihm die Kunde von den Spitzbübereien der Künstler in Pont-Aven gedrungen, kannte auch er jene Geschichte der nächtlichen Vertauschung der Ladenschilder, so daß morgens am Tabaksladen das Schild des Frisörs hing und dessen Schild wiederum am Tuchladen. Sollte er nun selbst das Opfer eines solchen Künstlerstreichs werden?

Der Pfarrer suchte einen Ausweg. Einerseits wollte er nicht schlankheraus sein Unverständnis modernen künstlerischen Äußerungen gegenüber zugeben, andererseits aber auch auf keinen Fall den Narren in einer Künstlerfarce spielen. So schüttelte er nur leicht den Kopf und sagte, daß er das Geschenk nicht annehmen könne, da seine Gemeinde das Bild nicht verstehen werde.

Daraufhin begann der Ältere und Autor des Bildes mit einer ausführlichen Erklärung; doch je länger sie dauerte und je mehr Verständniswege sie zu eröffnen suchte, desto stärker verfestigte sich die ablehnende

Haltung des Pfarrers. Ja, es schien so, als hielte der Pfarrer von Nizon schließlich die »Vision der Predigt« tatsächlich für die Vision eines Witzboldes. Jedenfalls bekräftigte er noch einmal seine Weigerung, das Geschenk anzunehmen, lehnte endgültig ab.
Hier wäre korrekterweise einzufügen, daß die drei Maler natürlich mit Schwierigkeiten gerechnet hatten. Denn was die ablehnende Haltung der Öffentlichkeit ihren Werken gegenüber anbetraf, konnten sie auf reichliche Erfahrungen zurückblicken. Und auch was dieses Bild, die »Vision der Predigt« anging, waren sie vorgewarnt. Allein die Ankündigung, man wolle dem Rektor in Pont-Aven ein Bild stiften, hatte genügt, um von diesem prompt eine Abfuhr zu erhalten. Deshalb hatte man sich auch in Nizon nicht angekündigt, sondern zunächst das Bild in der Kirche aufgestellt – zugegeben mit künstlerisch-ästhetischen Hintergedanken –, aber doch auch so, daß es – in der neuen Umgebung wirkend und gleichsam in situ – vielleicht eher als ein für den Sakralraum sinnvolles Geschenk begriffen werden könnte. Die Wirkung im Kontext der übrigen sakralen Gegenstände und Bildwerke sollte überzeugen oder jedenfalls den Zugang zu diesem Gemälde erleichtern helfen. Man hatte dies zumindest gehofft, vergeblich, wie sich nun herausstellte.
Ein letzter Blick, dann nahmen die beiden Jüngeren das Bild wieder auf und machten sich auf den Rückweg nach Pont-Aven, während der Ältere und Autor des Bildes zögernd und in Gedanken versunken folgte: Das Geschenk war zwar abgelehnt worden, aber das ästhetische Experiment, die Gegenüberstellung von Modernität und Ursprünglichkeit im Hinblick auf eine wechselseitige Erhellung bzw. Kommunikationsmög-

lichkeit war doch zufriedenstellend verlaufen. Das Bild konnte sich halten im Kontext des Ursprünglichen; und genau dies war entscheidend, denn damit war auch das tiefer angelegte Experiment gelungen: Er selbst, der Autor des Bildes, hatte sich mit diesem Bild auf die Probe gestellt und sie für sich bestanden.[4]

# Die Ausgangssituation

Das Bild, um das es sich hierbei handelte, kennt man heute unter dem Titel »Vision nach der Predigt oder Jakobs Kampf mit dem Engel«. Es mißt 73 × 92 cm und befindet sich in der National Gallery of Scotland in Edinburgh. Es ist datiert 1888 und signiert P. Gauguin. Der gerade 40 Jahre alte Autor des Gemäldes, Paul Gauguin, erreichte mit diesem Bild seinen künstlerischen Durchbruch. Die ›Wallfahrt‹, die er mit Émile Bernard, dem 20 Jahre jüngeren und Charles Laval, dem Reisegefährten von der Fahrt nach Martinique im Jahr zuvor, unternommen hatte, war zugleich als ›Absegnung‹ des neuen Wegs gedacht, den er als Künstler gefunden zu haben glaubte und als ›Danksagung‹ für die Kraft, die ihm im Kampf mit sich selbst zuteil geworden war. Beides zeigt sich in diesem Bild und beides schwingt auch im Doppeltitel nach: Die neue Sichtweise von Kunst und der Kampf um diese neue Sichtweise. Der Kampf um die neue Sichtweise und der Kampf mit sich selbst bilden aber die Grundkonstanten im Leben Paul Gauguins, Kampf vielleicht insgesamt. Denn geschenkt bekam Gauguin eigentlich nie etwas, weder in der Kunst, noch im Leben.
Infolgedessen könnte man »Die Vision nach der Predigt oder Jakobs Kampf mit dem Engel« durchaus als ein Schlüsselbild in mehrerer Hinsicht ansprechen, zum einen als Paradigma für seine Kunst, als Gauguins ›art poétique‹ der Malerei, zum anderen als Modell für sein Leben, seine gemalte ›condition humaine‹. Es scheint deshalb nicht ohne Sinn, wenn gerade dieses

Werk durch die ›Wallfahrt‹ gleichsam geweiht und über das Faktische hinaus sakralisiert wurde, sollte es doch – als eine Art ›Lebens-Bild‹ und ›gemalter Kunsttheorie‹ – nicht nur zum Gründungswerk eines neuen Stils avancieren, der über die empirische Wirklichkeit hinaus Wirklichkeit ihrem Wesen nach zu erfassen trachtete, sondern zugleich das Ereignis einer Wiedergeburt annoncieren, nämlich der des 40jährigen Paul Gauguin als Maler. Denn mit diesem Bild entschied sich der fünf bzw. fünfzehn Jahre währende Kampf um seine Berufung als Künstler: In der Dorfkapelle von Nizon – so denke ich – fand das Ringen mit einem der Dämonen, dem Dämon der Künstlerschaft sein vorläufiges Ende, erhielt Gauguin jenen Namen, der ihn – über sein Leben hinaus – lebendig halten würde: Maler. Nicht Bankkaufmann oder Kunstsammler, nicht Seefahrer oder Wilder, nicht Ehemann oder fünffacher Kindsvater – auch dies sind natürlich Namen für Paul Gauguin oder von Paul Gauguin – sondern der eine, der entscheidende, der mit dem Bild der »Vision nach der Predigt oder Jakobs Kampf mit dem Engel« errungene Name, der zählen wird: Maler. Das Werk am Anfang der Kunst des Malers Paul Gauguin, sein Geburtsbild gleichsam als Maler im vierzigsten Lebensjahr, eben dies ist das Bild, welches an jenem denkwürdigen Septembermorgen 1888 nach Nizon getragen und dort in der Kirche aufgestellt worden war.
Die Geschichte der Wallfahrt ist uns von Émile Bernard berichtet, ihr exaktes Datum allerdings unbekannt. Auch den genauen Zeitpunkt, wann das Bild des Jakob-Kampfes entstanden ist, kennen wir nicht und die Meinungen hierüber gehen auch stark auseinander.[5] Dies hat nicht zuletzt mit Émile Bernard selbst zu tun, der

2 Émile Bernard, Bretoninnen in der Wiese, 1888

nicht müde wurde, etwa von 1891 an, seinen Anteil an der Entwicklung des neuen Stils, als dessen Autor man zunächst allein Paul Gauguin verantwortlich machte, immer wieder und mit Nachdruck einzuklagen. Zweifellos muß dem »jungen Bernard« – wie Gauguin ihn in seinen Briefen nennt – eine wichtige Funktion als Geburtshelfer eingeräumt werden, sowohl was den neuen Stil, den Cloisonnismus oder Synthetismus oder Symbolismus[6] betrifft als auch was den eigenen Stil Paul Gauguins angeht, konkret jenen also, den er mit dem Bild der »Vision nach der Predigt oder Jakobs Kampf mit dem Engel« allererst entwickelte. Denn es steht außer Frage – Datierungen hin, Rechthabereien her – daß Bernards Gemälde »Bretoninnen in der Wiese«

(Abb. 2) Gauguin zu seiner künstlerischen Selbstfindung veranlaßte[7], ihm die Augen öffnete für den eigenen Weg, den er mit der »Vision nach der Predigt oder Jakobs Kampf mit dem Engel« einschlug. Damit muß aber Émile Bernard eine wichtige Rolle auch bei der Wiedergeburt Paul Gauguins als Maler zuerkannt werden.
Und in einer weiteren, wichtigen Hinsicht war Bernard geburtshelferisch tätig: Er machte Albert Aurier auf Gauguin aufmerksam und animierte ihn zu einem Artikel im »Mercure de France«, der dann zur Geburtsstunde des Symbolismus in der Malerei werden sollte.[8] Und das Bild, mit dem Aurier die Geburtsstunde des Symbolismus in der Malerei festlegte und feierte, war kein anderes als die »Vision nach der Predigt oder Jakobs Kampf mit dem Engel«. Entsprechend rechnete Aurier allein Gauguin das Verdienst zu, die symbolistische Richtung, sinnanalog zum literarischen Symbolismus, in die bildende Kunst eingeführt zu haben.
Das völlige Übergehen der von Bernard eingebrachten und teilweise ja entscheidenden Impulse mußte diesen nicht nur kränken, sondern auch zu einer Richtigstellung herausfordern, und dies um so mehr, als Gauguin zu alledem schwieg; jedenfalls veranlaßte er von sich aus nichts, um Bernard Gerechtigkeit wiederfahren zu lassen. So kam es zum Bruch zwischen den ehemaligen Gefährten und jeder versuchte, seine Rolle als Begründer und Kopf jener Richtung gebührend herauszustreichen, die dann als »Schule von Pont-Aven« einen nicht unwichtigen Platz in der Geschichte der modernen Malerei einnehmen sollte.
Bei diesem Kampf um die Führungsrolle in der Schule von Pont-Aven wird Gauguin Sieger bleiben, wie im-

mer man auch die teilweise ›korrigierten‹ Datierungen von Werken und Briefen, die natürlich bei solchen Rangstreitigkeiten eine besondere Rolle zu spielen pflegen, zu bewerten haben wird. Doch müssen diese ›Korrekturen‹ – um dies gleich einzufügen – nicht unbedingt mutwillig, wider besseres Wissen vorgenommen worden sein, spielten sich doch alle entscheidenden Ereignisse im Hinblick auf die Geburt des neuen Stils im Sommer 1888 ab, die damit Monat für Monat, Tag für Tag genau festzulegen wären, was in der Erinnerung so ohne weiteres nicht immer gelingen will. Gleichwohl bildet die künstlerische Entwicklung der beiden späteren Gegenspieler im Sommer 1888 in Pont-Aven die Grundlage für den neuen Stil und damit auch für die Frage nach seinem Urheber, weshalb die Datierungsfrage nichts von ihrer Brisanz eingebüßt zu haben scheint.
Infolgedessen wäre eine möglichst präzise, auf den Tag genaue Datierung gerade auch der »Vision nach der Predigt oder Jakobs Kampf mit dem Engel« überaus wichtig und nötig, scheint aber nicht mehr möglich. Das Bild muß irgendwann zwischen Mitte August und Mitte September entstanden sein, nicht später. Denn Gauguin selbst beschreibt es in einem Brief an Vincent van Gogh vom 25.-27. September 1888: »Ich habe gerade ein religiöses Bild fertiggestellt, sehr schlecht gemacht, das mich aber interessiert hat und das mir gefällt. Ich wollte es der Kirche von Pont-Aven geben – natürlich wollte man es nicht.
Bretonische Frauen, in Gruppen, betend, mit Kleidern in sehr intensivem Schwarz. Die Hauben weiß-gelb, sehr leuchtend. Die beiden Hauben rechts erscheinen wie monströse Helme. Ein Apfelbaum durchquert

schräg die Fläche, dunkel-violett, während das Laub, bestimmt als Masse, grünen Wolken gleicht, smaragdgrün mit den grün-gelben Lichtflecken der Sonne. Der Boden, reines Zinnoberrot. Er fällt zur Kirche hin ab und wird dann rot-braun. Der Engel ist in intensives Ultramarinblau gekleidet, Jakob flaschengrün. Die Flügel des Engels reines Chromgelb I, seine Haare Chrom II, und die Füße fleischfarben Orange. Ich glaube, in diesen Gestalten eine große bäuerliche, abergläubische Einheit erreicht zu haben. Es ist alles sehr streng. Die Kuh unter dem Baum ist zu klein im Vergleich mit der Wirklichkeit und richtet sich auf. Für mich entsprechen auf diesem Bild die Landschaft und der Kampf allein der Vorstellungskraft des betenden Volkes als Wirkung der Predigt. Daher der Gegensatz zwischen der Realität der Menschen und dem Kampf in der Landschaft, die unwirklich und auch unproportioniert ist.« Dem Brief ist eine Skizze des Bildes beigefügt, zu dem sich freilich Vincent van Gogh in seinem Antwortschreiben nicht geäußert hat.[9]
Vincent war im Augenblick vor allem daran interessiert, Gauguin zu sich nach Arles zu ziehen und nahm deshalb jene Passagen des Gauguin-Schreibens auf, die sich auf seine versprochene Reise nach Arles bezogen; vor allem die Schwierigkeiten nahm er sich vor, die Gauguin anführte, um seine immer wieder und weiter herausgezögerte Abreise von Pont-Aven zu begründen. Freilich weiß man aus einem späteren Brief Vincent van Goghs an seinen Bruder Theo vom November 1889, daß er mit der religiösen Malerei in der Weise, wie sie Gauguin und Bernard betrieben, nicht gerade einverstanden war: »Ich habe diesen Monat in den Olivenhainen gearbeitet, denn jene machen mich wütend

mit ihren Christus-am-Ölberg-Bildern, auf denen nichts beobachtet ist. Natürlich habe ich nichts Biblisches vor, und ich schrieb Bernard sowie Gauguin, daß ich die bewußte Vorstellung und nicht den Traum für unsere Pflicht hielte und daß ich deshalb überrascht sei, daß sie sich in ihren Bildern in dieser Richtung gehen lassen...«[10] Gleichwohl werden sich van Gogh und Gauguin in diesem Jahr der Entscheidung treffen, im Oktober 1888 in Arles, besser, sie werden aufeinandertreffen, miteinander ringen. Und sie werden sich nichts schenken. Im Sommer 1888 stand also der Kampf noch aus. Doch er stand nahe bevor, und Gauguin mag dies gespürt haben – auch, daß er in diesem Kampf einem gleichwertigen Gegner gegenüberstehen werde, einem Künstler-Dämon, den er nicht so ohne weiteres würde besiegen können. Denn die Gründe, die Gauguin anführte, um seine Reise nach Arles immer wieder hinauszuzögern, scheinen eher vorgeschoben, Ausflüchte zu sein.

Vincent van Goghs spätere Kritik an den quasi religiösen Tendenzen der Malerei Gauguins und Bernards bildete im übrigen keine Ausnahme. Auch Gauguins ehemals väterlicher Freund und Lehrer, Camille Pissarro mochte diese Wende Gauguins, die er mit der »Vision nach der Predigt oder Jakobs Kampf mit dem Engel« eingeleitet hatte, nicht gutheißen: »Ich werfe Gauguin nicht vor, daß er einen zinnoberroten Hintergrund malte, auch nicht die zwei kämpfenden Krieger und die bretonischen Bäuerinnen im Vordergrund; ich beanstande jedoch, daß er diese Elemente von den Japanern, den byzantinischen Malern und anderen gestohlen hat. Daß er seine Synthese nicht auf unsere moderne Weltanschauung anwendet, die sozial, anti-

autoritär und anti-mystisch ist, tadle ich. An diesem Punkt wird das Problem ernst. Es handelt sich um einen Rückschritt. Gauguin ist kein Seher, sondern ein Schläuling, der gemerkt hat, daß das konservative Bürgertum vor dem großen Gedanken der Solidarität zurückschreckt – einer instinktiven, aber fruchtbaren Idee, der einzig berechtigten! – Bei den Symbolisten liegt die Sache ebenso. ... Man muß sie bekämpfen wie die Pest!«[11] Diese Sätze schrieb Pissarro 1891 an seinen Sohn Lucien im Anschluß an Auriers Artikel über Gauguin und den Symbolismus im »Mercure de France«.
Doch die Verstimmung zwischen Gauguin und Pissarro hatte schon früher eingesetzt; und zum Bruch war es gekommen, als der alte Vorkämpfer des Impressionismus sich 1885, im fortgeschrittenen Alter, noch einmal zu wandeln begann, nämlich den Divisionismus bzw. Pointillismus Seurats und Signacs übernahm und damit deutlich in Widerspruch zu den Bestrebungen Gauguins geriet; denn der fahndete ja – genau umgekehrt – gerade nach einem Synthetismus in der Malerei. So konnte Gauguin mit den »kleinen Punkten« einer vermeintlich verwissenschaftlichten Malerei ebenso wenig anfangen wie der alte Sozialist und Kämpfer für den Fortschritt in der Kunst, der auf Wissenschaftlichkeit und Gesetzmäßigkeit, Klarheit und Vernunft setzte, mit dem vermeintlich künstlichen Primitivismus seines ehemaligen Schülers Gauguin. Ja, für Pissarro mußte dessen Malerei sogar als gefährlicher »Rückschritt« erscheinen, da sie sich von neuem dem Literarischen, schlimmer, dem Mystischen bzw. Irrealen dienstbar zu machen schien.
Folglich Kampf auch mit den Pointillisten, der sich freilich für Gauguin weniger gefährlich ausnahm als der

mit Vincent van Gogh. Denn die Konzepte von Synthetismus und Divisionismus waren doch zu verschieden, als daß sich wirklich gefährdende Berührungspunkte hätten ergeben können. Dementsprechend gelang Gauguin eine distanzierte Auseinandersetzung mit dem Pointillismus, freilich erst nach der »Vision nach der Predigt oder Jakobs Kampf mit dem Engel«, also erst nach seiner endgültigen Positionsfindung. Dabei ging die distanzierte Auseinandersetzung so weit, daß man nicht nur Spottlieder sang (die Émile Bernard gedichtet hatte), sondern selbst in pointillistischer Technik Bilder tupfte und sie mit dem Spottnamen »Ripipoint« signierte.

Der scheinbare Kampf jeder gegen jeden, der Kampf Gauguins mit van Gogh und Seurat, mit Pissarro oder Bernard, um nur einige zu nennen, war aber auch und im wesentlichen ein Kampf aller mit dem Impressionismus, dem nicht nur Gauguin, sondern in ähnlicher Weise auch Vincent van Gogh, Seurat, Pissarro oder auch Émile Bernard ein neues Ziel geben wollten: Eine Vision; eben eine ›Vision‹ nach der ›Lehre‹ des Impressionismus. Oder sollte man sagen nach der ›Lehre‹ Pissarros, des nimmer müden Ratgebers, der doch praktisch alle jüngeren Künstler unterrichtet hatte; so Gauguin und Vincent van Gogh und – neben vielen anderen – auch jenen einen, den Gauguin nicht bekämpfen wollte und konnte, den er dafür aber gleichsam sich einzuverleiben suchte, Paul Cézanne.

Cézanne, der Gauguin nicht mochte und ihn mancher Übeltaten fälschlicherweise verdächtigte, Cézanne blieb für Gauguin beispielhaft: In seiner Person geriet er zum Synonym für Künstler, in seiner Malerei zum Synonym für Werk: »Laßt uns einen Cézanne ma-

3 Paul Sérusier, Der Talisman, 1888

chen«[12], pflegte Gauguin zu sagen, wenn es darum ging, ein Werk zu beginnen. So blieb Cézanne aus den Kämpfen Gauguins ausgeschlossen, nicht zuletzt auch deshalb, weil Cézannes Kunst ihm die Technik und den Hintergrund für seine eigene Malerei lieferte. Genauer, Cézanne war vorbildhaft für den Prozeß des Malens, den Malakt selbst, der sich in seinen Bildern thematisiert zeigte bzw. als Malerei reflektierte. Technik und Hintergrund, weil sich für Gauguin auf-

grund dieses Malaktes – und damit gleichsam einer Technik – die gestalterischen Möglichkeiten, Ideen zu veranschaulichen, eröffneten: Nicht das Dingliche des Malakts, sondern seine geistigen Möglichkeiten herauszustellen und im Dinglichen zur Geltung zu bringen, dies vor allem bestimmte die künstlerische Zielsetzung Paul Gauguins, zu der das Vorbild Cézanne somit entscheidende, gleichwohl hinter- oder untergründige Hilfestellungen gab.
All dies wird nachfolgend genauer zu untersuchen sein, baut sich doch aus diesen Impulsen das Spannungsfeld auf, in dem Gauguin sich bewegt und dessen Pole durch Impressionismus und Pointillismus einerseits, van Gogh und Cézanne andererseits und schließlich durch Bernard und die primitive Kunst (etwa den Japonismus) bestimmt werden können. Mit der »Vision nach der Predigt oder Jakobs Kampf mit dem Engel« hat auch Gauguin seine Position festgelegt, seine Grenzpfähle eingeschlagen, sein Terrain im Rahmen dieses Spannungsfeldes abgesteckt.
Das Bild gibt ihm jedenfalls Selbstvertrauen, gibt ihm auch die Sicherheit, seine Position nicht nur zu vertreten, sondern sie weiterzuvermitteln, zu lehren. Dies belegt nicht zuletzt die Geschichte des sogenannten »Talisman« (Abb. 3), jenes Bildes, das Paul Sérusier im Herbst 1888 unter Anleitung Gauguins im Bois d'Amour in Pont-Aven malte und das von jenen Schülern der Académie Julian als künstlerisches Kleinod verehrt wurde, die sich später unter dem anspruchsvollen Namen »Nabis«, das meint »Seher« oder »Propheten«, zu einer Künstlergruppe zusammenschließen sollten. Gauguin also unterrichtete, vermittelte seine künstlerische Zielsetzung und den Weg dorthin, er-

möglichte so Mini-›Visionen‹ nach seiner ›Predigt‹ oder Lehre, die er als Kondensat aus den Einsichten und Erfahrungen mit der »Vision nach der Predigt oder Jakobs Kampf mit dem Engel« gewonnen hatte. Doch diese Sicherheit war neu, wie der Blick für das Ziel und den Weg dorthin gerade erst erworben. Erhebliche Arbeiten mußten geleistet und Kämpfe durchgestanden werden, bis er hierher gelangte, Kämpfe nicht nur gegen die anderen, gegen den Impressionismus, gegen Seurat und van Gogh, Pissarro und Bernard, sondern vor allem die Kämpfe gegen sich selbst.

## Aufbrüche

Es ist auffallend und vielleicht nicht ohne Sinn, daß das Schlüsselbild Gauguins zwei gleichberechtigte Titel führt, die nicht nur völlig unterschiedlich sind, sondern auch nahtlos ineinander passen. Die Vereinigung von faktisch Unvereinbarem, dies könnte auch als Charakteristikum für das Leben Paul Gauguins herangezogen werden. »In mir gibt es zwei Naturen: Den wilden Indianer und den Empfindsamen. Der Empfindsame hat weichen müssen, damit der Indianer festen Schritts geradeaus marschieren kann«[13], so schreibt Gauguin im Februar 1888 kurz vor seiner Abreise nach Pont-Aven an seine Frau Mette. Tatsächlich war seine Berufung auf den »Wilden« oder »wilden Indianer« keine reine Attitüde, sondern genealogisch begründbar. Mütterlicherseits bzw. über seine Großmutter Flora Tristan führt sein Stammbaum in exotische Weite, nach Südamerika, folglich in einen ganz anderen, vermeintlich primitiven und ursprünglichen Kulturkreis. Flora Tristan ist das Kind von Thérèse Laisney und dem spanischen Oberst der Dragoner Don Mariano de Tristan Moscoso (diese Herkunft wurde im Zusammenhang mit der »Vision nach der Predigt oder Jakobs Kampf mit dem Engel« aufgrund der Stiftungsinschrift deutlich herausgestellt), die in freier Ehe zunächst in Spanien und dann in Vaugirard bei Paris lebten. Don Mariano wiederum hatte einen Bruder, Don Pio de Tristan, der in Lima eine wichtige Position innehatte, zeitweise sogar als Vizekönig und der ein Abkömmling der Inka-Herrscher gewesen sein soll, eine geheimnisvoll schillernde Figur, die für Gauguin selbst – und sein Rollenverständnis – eine nicht zu unterschätzende Bedeutung besaß.

Ein weiteres Element, das im Leben Gauguins eine zentrale Rolle spielen wird, macht sich ebenfalls mütterlicherseits bemerkbar: Das Unstete, das Aufbrechen zu neuen Ufern, das Umhergetrieben-Sein, jenes Das-Entdecken-wichtiger-Nehmen als das Entdeckte. Auch in dieser Beziehung ist die Großmutter Flora exemplarisch hervorgetreten und gleichsam Vorbild. Und von diesem Rhythmus des Sich-immer-wieder-Aufmachens und Zu-neuen-Ufern-Aufbrechens wird auch der Lebensrhythmus Paul Gauguins bestimmt, von Kindheit an. Am 7. Juni 1848 in Paris geboren, reiste er bereits 1849, einjährig mit seinen Eltern und seiner Schwester Marie nach Südamerika. Sein Vater, der Journalist Clovis Gauguin, suchte dem Regime des Staatspräsidenten Louis Napoléon zu entgehen und zugleich die Bekanntschaft des sagenhaften Onkels in Lima zu machen. Doch der Vater stirbt auf der Reise, am 30. Oktober 1849, und die Mutter Aline Chazal trifft allein mit ihren Kindern in Lima ein.

Das Leben in Südamerika auf dem Gut des Don Pio Tristan y Moscoso wird Gauguin sein Leben lang nicht vergessen. Der kleine Junge wächst in einer geradezu fürstlichen Umgebung auf, einer verschwenderisch exotischen Welt, die so ganz anders ist als jene, welche er nach der Rückkehr der Familie 1855 in Frankreich vorfindet. Denn die Verhältnisse, in denen er nun mit seiner Mutter und Schwester in Orléans zu leben hat, sind eher ärmlich zu nennen.

Gauguin besucht Internate in Orléans und Paris. Er erhält eine gute Mittelschulausbildung, ist aber kein

überragender Schüler, als der sich z.B. Paul Cézanne erwies. Tatsächlich weiß man über seine Erziehung, auch über sein Interesse z.B. an Kunst recht wenig. Doch dürfte er zunächst durch seinen späteren Vormund, den Wechselmakler Gustave Arosa, der eine bemerkenswerte Sammlung mit Werken von Corot, Courbet, Delacroix, Jonkind, Pissarro und anderen besaß, mit zentralen Gestalten der Malerei des 19. Jahrhunderts in Kontakt gekommen sein; zumindest dürfte er von hier die Anregung für seine eigene Sammlertätigkeit ab 1873 bezogen haben.
Daß die Bilder Arosas bereits in den frühen Jahren Eindruck auf Gauguin machten, wird man eher bezweifeln müssen. Jedenfalls spricht sein Entschluß, Seemann zu werden, gegen einen tiefergehenden Einfluß der bildenden Kunst auf ihn. Zwar stellt auch dieser Entschluß eine Entscheidung für den Aufbruch ins Ungewisse dar, jedoch ohne künstlerische Einfärbung. 1865, am 7. 12., begibt sich Paul Gauguin als Steuermannsjunge an Bord der »Luzitano« und bleibt dann bis 1871 der Seefahrt treu, von 1868 bis 1871 im Dienst der Kriegsmarine. Dabei lernt er die halbe Welt kennen, zum Teil auch jene Gegenden, die dann für seine künstlerischen Aufbrüche entscheidend werden sollten, Panama und Ozeanien.
Am 23. 4. 1871 scheidet Gauguin aus dem Dienst der Kriegsmarine aus und findet gleich darauf – gefördert durch seinen Vormund Gustave Arosa – eine Anstellung beim Wechselmakler Paul Bertin. Gauguin erweist sich als geschickt und intelligent und kommt zu Reichtum. Zudem spekuliert er erfolgreich und legt sein gewonnenes Geld – dem Vorbild seines Vormunds folgend – in Kunst an. Seine Sammlung kann sich durch-

aus sehen lassen, so daß anzunehmen ist, daß die Bekanntschaft mit den Kunstwerken aus dem Besitz Arosas und dessen Hilfestellung schließlich doch Wirkung zeigten, zumindest im Hinblick auf die Herausbildung einer bestimmten Geschmacksrichtung: Gauguin sammelt Impressionisten, Werke jener Maler also, die sich 1874 als Gruppe formieren und dabei Hohn und heftigste Kritik auf sich ziehen sollten: Manet, Monet, Renoir, Cézanne, Sisley, das etwa sind die Namen, die seiner Sammlung das Gesicht gaben.

Damit schien der ehemalige Seemann und jetzige erfolgreiche Banker einen bürgerlichen Hafen anzulaufen, wobei die Eheschließung mit Mette-Sofie Gad, einer Dänin »aus gutem Haus«, 1873 trefflich ins Bild paßte. Nunmehr fanden die Aufbrüche ins Ungewisse allenfalls spielerisch statt, im Abenteuer des Kunstsammelns, Aufbrüche, die man ästhetisch genießt, nicht aber tatsächlich durchstehen muß. Vielleicht war es wirklich die Sammlung der erfolglosen und verhöhnten Impressionisten, die gleichsam das Vagabundieren ins Grenzenlose, das Entdecken um des Entdeckens willen zugleich tradierte und kompensierte, obwohl nicht sicher ist, daß Gauguin schon damals die Auf- und Ausbrüche der Impressionisten in dieser Weise adäquat zu beurteilen wußte.

Wann genau Gauguin vom Bazillus künstlerischer Produktivität infiziert wurde, bleibt schwer zu entscheiden. Manches spricht für 1873, nachdem er in Bertins Kontor Emil Schuffenecker kennengelernt hatte, Bankangestellter wie er und zugleich Sonntagsmaler. Jedenfalls beginnt auch Gauguin in seiner Freizeit zu malen, besucht er auch die Académie Colarossi, stellt er schließlich 1876 im »Salon« aus. Aber die Krankheit des Künstler-Seins bricht noch nicht aus, die Inkubationszeit dauert bis 1883, als Gauguin sich entschließt, seinen Beruf als Maklergehilfe aufzugeben, gezwungenermaßen – infolge einer Finanzkrise der Pariser Börse, die seine Entlassung mit sich brachte – oder aus freien Stücken, das möge dahingestellt bleiben. Auf jeden Fall steht die Kunst seit 1883 – wenn auch vielleicht nicht unangefochten – im Zentrum des Lebens und Denkens Paul Gauguins.

Seine Entscheidung, den bürgerlichen Beruf aufzugeben bzw. ihn nicht wieder anzustreben, ist häufig als kopflos hingestellt und zugleich einer moralischen Wertung unterzogen worden, wobei das Urteil zwischen den Polen »asozial« und »egoistisch« bis »einsam seiner Berufung gehorchend« und »Märtyrer der Kunst« schwankt. Wie auch immer eine moralisch begründete Beurteilung ausfallen mag, ganz kopflos jedenfalls wird man Gauguins Entscheidung zur Kunst wohl kaum nennen können. Immerhin hatte er erste künstlerische Erfolge zu verzeichnen, wie z. B. die Zulassung zum »Salon« von 1876 oder die hymnische Besprechung seines Bildes »Aktstudie« von 1880 durch Huysmans anläßlich der 6. Impressionismusausstellung 1881.[14] Zumindest schien der Aufbruch anfangs nicht unbedingt ein Aufbruch ins Ungewisse: Gauguin verließ zwar den gesicherten Hafen der Bürgerlichkeit, um ein neues Land zu gewinnen, dies aber auf einem vermeintlich sicheren Kurs. Daß er dann, einmal auf hoher See, seine Route wechselte, wohl auch wechseln mußte – aufgrund der ihm zuteil werdenden neuen Erfahrungen und Fertigkeiten –, daß er schließlich seine eigene Route absteckte, einen eigenen Weg in die Moderne anpeilte, dies war sicherlich nicht vorauszusehen.

Im übrigen dürfte die Entscheidung zur Kunst von 1883 nicht ganz so unangefochten gewesen sein, wie es den Anschein haben mag. Denn der erhoffte Erfolg wollte sich trotz aller Anstrengungen und Entbehrungen nicht einstellen. Gauguin mußte kämpfen, mit allen Mitteln und fand doch kein Auskommen. Da verwundert nicht, daß er sich hin und wieder seiner früheren Stellung erinnert: »Weil ich bei Bouillot keine Arbeit bekommen kann und die Malerei sich in einer Krise befindet, muß ich, um uns beide [seinen Sohn Clovis und sich] durchzubringen, an etwas anderes denken. Augenblicklich suche ich für die Zwischenzeit eine kleine Stellung an der Börse«[15], so schreibt er im Oktober 1885 aus Paris an seine Frau Mette. Und als er sich im März 1887 anschickt, nach Panama und Martinique zu reisen, sieht er seine künstlerische Zukunft eher verdunkelt: »Die ganze Zeit habe ich von Arbeiten geträumt, die für die Zukunft Glück und Wohlstand versprachen. Das ist nun alles ad calendas graecas hinausgeschoben.« Schließlich in einem Brief an seine Frau vom April 1887: »Mein Name als Künstler gewinnt alle Tage an Achtung. Und doch – – inzwischen habe ich manchmal drei Tage lang nichts zu beißen. Das zerrüttet nicht nur meine Gesundheit, sondern mehr noch meine Schaffenskraft. Die muß ich unter allen Umständen wiedergewinnen, und so gehe ich nach Panama... Außerdem trage ich mich noch mit einer anderen Idee, und die ist bestimmt gut: Man hat mir vor einiger Zeit ein glänzendes Angebot gemacht. Da man meine Energie, meine Intelligenz und besonders auch meine Ehrenhaftigkeit kennt, wollte man mich nach Madagaskar schicken, um dort als Teilhaber eine seit einem Jahr bestehende Firma weiterzuführen.

Der, den man dorthin gesandt hatte, ist als gemachter Mann zurückgekommen, und er will keinerlei Kontrolle. Meine Teilhaber wollen nun, anstatt die alte Firma weiterzuführen, eine große, neue aufziehen. Sie haben mir versprochen, mich in Panama wissen zu lassen, wann sie damit zu Rande gekommen sind. Ihre letzten Worte waren: Herr Gauguin, Leute Ihres Schlages sind heute selten, und wir werden Sie uns heranholen, ganz gleich woher.«[16]

Wenn es sich hierbei nicht nur um taktische Manöver seiner Frau gegenüber gehandelt haben sollte, um vorgetäuschte Hinweise auf Gedanken um eine auch bürgerliche Zukunft, dann gäben diese Zeilen Auskunft über einen inneren Kampf, den Kampf Gauguins mit dem Zweifel an seiner Künstlerschaft, der demnach mindestens fünf Jahre lang währte und erst 1888 entschieden sein wird. Eben mit dem Bild des Kampfes, das ihn endgültig als Künstler ausweist, auch seinen künstlerischen Durchbruch bringt bzw. ihm künstlerische Identität verleiht, kurz mit dem Bild der »Vision nach der Predigt oder Jakobs Kampf mit dem Engel«.

## Entwurf der »Vision«

Dem Brief an van Gogh, in dem Gauguin die »Vision nach der Predigt oder Jakobs Kampf mit dem Engel« beschrieben hatte, war – wie gesagt – eine Skizze beigefügt, die den Zustand des bereits vollendeten Gemäldes summarisch festhielt. Dagegen findet sich eine erste Skizze zum Gemälde im Album Walter, 3, (Musée d'Orsay), (Abb. 4), die einerseits deutliche Unterschiede zum ausgeführten Gemälde erkennen läßt, um dabei andererseits die für das Gemälde verbindlichen Vorbildwelten klarer vor Augen zu stellen.
Den wichtigsten Unterschied zur Ausführung markiert der Apfelbaum, der in der Skizze genau aus der Mitte des Blattes heraus schräg nach links aufwächst. Er teilt damit die Fläche nicht in der Diagonalen, wie dies in der endgültigen Fassung zu bemerken ist, sondern gibt ein Zentrum, um das die übrigen Motivformen kreisförmig angeordnet werden: So die Bäuerinnen am unteren Bildrand, zwei Rückenfiguren und eine im Profil, sehr ähnlich den Figuren in der späteren Ausführung, aber stärker nebeneinander, weniger gestaffelt; so die nicht zu identifizierende Formfigur am unteren Bildrand links – betende Hände? –, so die summarisch gegebenen Hintergrundmotive, die nun tatsächlich eine Kreislinie verbindet (in Höhe der Hauben der unteren Figuren), der wiederum zwei kurze, segmentbogige und von den seitlichen Rändern ausgehende Linienwerte entgegenlaufen, d.h. die von außen nach innen gerichtet sind, einmal zum Baum hin, das andere Mal zur angedeuteten Kampfszene.

4 **Skizze zur »Vision nach der Predigt«**

In dieser Weise angeordnet wäre die Möglichkeit eines räumlichen Lesens der Motivkonstellation gegeben, aufgrund der Relation nämlich von Kampfgruppe und Bäuerinnen jeweils zum Baum. Doch scheint Gauguin gerade diese gleichartige Beziehungssetzung nicht gepaßt zu haben, wollte er den *Kampf* und nicht den Baum als Blickpunkt herausgestellt wissen. Weshalb er dann gegen die Schräge des Baumes vom linken Bildrand weg diagonale Linien auf die Kampfgruppe hin auszog, um so die Beziehungssetzung von Kampfgruppe und Bäuerinnen direkt, als einen unmittelbaren Zusammenhang vor Augen zu führen. Diagonale Werte im übrigen, die – in Verbindung mit dem entgegengerichteten und vom rechten Bildrand ausgehenden Linienschwung – eine gleichsam zeichnerische Fassung des Gesichtswinkels und damit einen kanalisierten Blick auf das eigentliche Zentrum des Bildes, die Kampfgruppe ermöglichen.

Auf der anderen Seite bietet natürlich die kreisförmige Linie um den Baum selbst eine direkte Sehanweisung, formuliert sie doch eine Art Arena für den zur Schau gestellten Kampf. Entsprechend läßt sich ein regelrechter Bildprozeß zur »Vision nach der Predigt oder Jakobs Kampf mit dem Engel« über verschiedene Stufen hin verfolgen: Zunächst ist die Form einer Kampfstätte gewählt, die Arena, in der sich das Geschehen abspielen soll, der Kampf Jakobs mit dem Engel. Zugleich aber soll dieser Kampf mit dem Engel kein Historienbild, sondern eingebettet sein in die aktuelle Erfahrungswelt, welche dann auch mit dem Baum als fixierbarem Ort und den Bäuerinnen mit ihren fixierbaren Trachten ins Bild tritt. Schließlich soll das Nebeneinander von Historie und aktuellem Geschehen zu einem Miteinander verdichtet werden, und zwar im Hinblick auf eine bestimmte Weise des ›Erkennens‹ oder ›Sehens‹, dem dienen dann die Schraffuren.
Das heißt, die Geschichte soll als eine bestimmte Möglichkeit von Seherfahrung in der aktuellen Lebenswelt zur Erscheinung gelangen, was durch die Ausweisung des Sehwinkels auf die Kampfgruppe hin deutlich wird. Was sich in dieser Weise im Hinblick auf eine Verbindung von Gegenwart und Geschichte in der Skizze, und zwar lediglich als Intention, zeigt, wird bildlich erst in dem ausgeführten Gemälde realisiert, nämlich als ein bildlicher Erfahrungsprozeß, in dem sich die allmähliche Überwindung einer Trennung von aktuell zeitlichem und historischem Geschehen ereignet.
Die Umdeutung des Baumes in der Skizze des Albums Walter, 3, seine Herausnahme aus der Zentrumsposition und seine planimetrische Fixierung als Teilungslinie der Bildfläche, markiert somit eine der leitenden

Gestaltungsideen des ausgeführten Gemäldes, nämlich die Festlegung und allmähliche Überwindung einer bestimmenden Grenzziehung, welche dann nicht nur links und rechts, oben und unten, bzw. Genre und Historie trennt und verbindet, sondern auch: Wirklichkeit und Vision. Der Baum scheidet und bringt zusammen, überschneidet und wird überschnitten; er ist damit auch und zugleich Indikator für einen, dem Betrachter vom Bild selbst abverlangten Wandel des Sehens, den Übergang nämlich von einem nur registrierenden, wiedererkennenden zu einem neuen, ›einsehenden‹, d.h. das Faktische durchschauenden Sehen. Insofern zeigt sich im ausgeführten Gemälde als Bildprozeß, was in der Skizze Funktion der diagonal geführten Strichlagen war und was als zentrales Anliegen der »Vision nach der Predigt oder Jakobs Kampf mit dem Engel« benannt werden kann: Die Entwicklung des Sehens als Grundlage einer neuen Bildanschauung.

## Der Lehrer

Den Ausgangspunkt freilich für dieses neue Sehen, das den Betrachter als aktiv Sehenden, als Erkennenden fordert und ihm, im Unterschied zu seiner ehemaligen Funktion als passiv Sehendem, der ›Gewußtes‹, also bereits Erkanntes, lediglich wiederzuerkennen hatte, eine zentrale Funktion zuweist – den Ausgangspunkt für dieses neue Sehen markiert selbst ein ›neues Sehen‹, ein anderes Sehen im Vergleich zur künstlerischen Tradition. Denn wie immer auch die Präzisierung dieses neuen Sehens bei Gauguin, in Absetzung etwa zu Cézanne, van Gogh oder Seurat, die sich in vergleichbarer Weise um dessen Formulierung bemühten, ausfallen mochte, ermöglicht wurde es allererst durch die Auseinandersetzung mit dem Impressionismus, besser im Durchgang durch diesen hindurch. Der Impressionismus lieferte den Neuerern gleichermaßen die künstlerische Grundausstattung für ihren jeweils eigenen Weg, ja, er lieferte ihnen sogar den gleichen Lehrer, Camille Pissarro.
Gauguin hat den Einfluß Pissarros auf seine Malerei nie bestritten, auch nach dem Zerwürfnis nicht.[17] Tatsächlich änderte sich unter dem Einfluß von Pissarro jene Strenge und Kühle, welche die frühen Landschaften Gauguins dominiert, verlor sich die dunkle Tonigkeit seiner Gemälde und deren kompakte Dinghaftigkeit. Pissarro machte ihn mit der Farbigkeit, der Skizzenhaftigkeit und der veränderten Seheinstellung des Impressionismus bekannt und traf mit seiner Lehre auf einen offenbar sehr aufmerksamen Schüler.

5 **Camille Pissarro, Die Schubkarre, um 1881**

Im Zentrum impressionistischer Lehre steht die Verwandlung der gegenständlichen Welt in optische Phänomenalität. Nicht mehr Dinge und Bedeutungen bestimmen das Bild der Wirklichkeit, sondern Sichtbarkeitswerte, die – unmittelbar erfahren – Welt als koloristisches Ereignis erfahrbar werden lassen. So sieht man – um nur einiges zu nennen – in Pissarros Bild »Die Schubkarre« von um 1881 (Abb. 5) nicht in erster Linie Bäume, Felder, Himmel und eine Arbeitsszene, sondern zunächst ein farbiges Gesamt, ein, vermittels kurzer Striche erzeugtes, sich flächenhaft ausbreitendes farbiges »Gewebe«, in welchem gleichsam nachträglich Gegenstandsformen in Erscheinung treten. Der Flächenbezug dominiert; räumlich differenzierende Möglichkeiten – etwa durch die Baumstellung

hervorgerufen – ergeben sich erst im nachhinein. Entsprechend bildet die Fläche als ein durch die kurzen Striche auch gegenständlich aktualisiertes Aktionsfeld die primäre Ordnungsgrundlage für diese Malerei: Alles was sich ereignet, ereignet sich aktuell in der Fläche, wird unter der Bedingung der Gesetzmäßigkeit der Fläche erfahren.
Damit ist aber die alltagsweltliche, an der Räumlichkeit orientierte Sehweise wenn nicht aufgehoben, so doch deutlich einer flächenbestimmten, artistischen Schau untergeordnet. Entsprechend wird dem Betrachter ein Sehen abverlangt, das die primär flächenbezogenen Formen und Motive in ihren jeweiligen Konstellationen zwischen Oben und Unten, Links und Rechts im Vergleich des einzelnen und unter Berücksichtigung immer auch des Gesamten zugleich räumlich zuordnet; um so aufgrund etwa der Größe der Apfelbäume in Verbindung mit den abfolgenden, unterschiedlich farbigen Formflächen der Wiese und weiterer horizontal gelagerter Flächen eine Landschaft zu entdecken, die über den Vordergrund mit Apfelbäumen, Schubkarre und Bäuerin und weiter über die buschbestandenen Wiesen und Felder des Mittelgrundes sich bis zu den Dächern einer Siedlung im Hintergrund dehnt.
Damit erweist sich die Erfahrung einer solchen Landschaft vornehmlich als das Resultat einer Sehaktivität des Betrachters, nicht aber als im Bild faktisch vorgegeben, da Pissarro z. B. bewußt auf raumaufschließende, also in die Tiefe führende Schrägrichtungen verzichtet. Ja, gerade auch dort, wo eine raumeröffnende Schrägrichtung hätte wirksam werden können, nämlich zwischen den beiden, durch ihre Kronen zusammengefaßten Vordergrundsbäumen, wird sie vermie-

den, werden die Fußpunkte der Bäume von der Schubkarre verdeckt, die selbst wieder als Motiv bildparallel gestellt ist, um so die Horizontale im Bild wiederum und nachdrücklich ins Recht zu setzen.
Das bedeutet aber in seiner Konsequenz nicht nur eine Emanzipation des Betrachters als eines nun aktiv Bild-Beteiligten, sondern zugleich eine Emanzipation des Bildes selbst: Nicht mehr der im Bild ja immer nur illusionistisch zu erzeugende Raum gilt als Ordnungsprinzip der Wahrnehmung von Gegenständlichem, sondern die Fläche, damit aber konkret jene das Medium der Malerei am nachdrücklichsten charakterisierende Grundgegebenheit. Sie tritt hier als Bezugsrahmen selbst in Erscheinung, ein tragender Bildgrund, in dem und aus dem heraus gegenständliche Formen und räumliche Bezüge sich allererst entwickeln; diese werden auch nicht mehr durch die Fläche hindurch gesehen, sondern erscheinen in ihr, weshalb diese Malerei zunächst sehr deutlich ein *Bild* der Landschaft gibt, nicht die Landschaft selbst.
Doch Pissarros Bild betont nicht nur die Fläche als primäres Ordnungsfeld der Malerei, sondern zugleich die Farbe als ihr primäres Gestaltungsmittel; denn diese tritt nicht gegenstandsgebunden (oder lokalfarbig) auf, sondern als in kurzen Strichen sich artikulierende farbige Materialität, die sich in je unterschiedlichen farbigen bzw. graphischen Konstellationen zu je unterschiedliche Gegenständlichkeit repräsentierenden Formationen und Formen bald verdichtet, bald verflüssigt. Entsprechend ergibt sich im Kontext des farbigen Gewebes eine Bewegung zum Gegenständlichen hin und wieder auch von diesem fort, die – auf der Seite des Sehens – ihr Äquivalent im momentanen

**6 Apfelbäume von l'Hermitage, 1879**

Erschauen, im Bewegungsakt des »sehenden Sehens« (Imdahl) findet, eine Wahrnehmungsweise, die Gegenständliches allein als Zu-Sehendes anerkennt, als Resultat einer rein bildlich begründeten Form-Farb-Konstellation. Von daher ist aber zu verstehen, daß die farbige Gesamterscheinung des Bildes für Pissarro von so zentraler Bedeutung sein mußte, daß deren ›Stimmigkeit‹ vor jeder – wie immer auch zu bestimmenden – ›Richtigkeit‹ einzelner Ding- und Motivformen rangierte.

Wenn aber das Sehen selbst solcherart im Horizont der Malerei thematisch gesetzt ist, kann schwerlich überraschen, daß einem weiteren Element neben der Fläche und der Farbe, das gerade für den Sehakt entscheidend ist, besondere Aufmerksamkeit zuteil wird, dem Licht. Denn das Licht ist die Quelle des Sichtbaren. Wie das Dunkel letztlich den Gegenstand verschwinden läßt, so ruft Licht Welt als farbige Erscheinung allererst ins Leben. Von daher mußte die Beobachtung des Lichts als dem fundamentalen, nämlich die Beziehung von Mensch und Gegenständlichem sinnlich leitenden Medium, mußte die Untersuchung seiner ja immer auch situationsbedingten Wertigkeit zu einem zentralen Anliegen impressionistischer Malerei aufsteigen: Eben nicht die Dinge, und auch nicht nur die Sichtbarkeit der Dinge liefern den Ansatzpunkt impressionistischer Malerei, sondern vor allem und zugleich jene, die Sichtbarkeit der Dinge erst erzeugende Kraft, das Licht, das sich vordergründig im Vibrieren, im »Flimmern« der Bilder ausweist, sein tatsächliches Äquivalent aber in jenem farbigen Gewebe aus kurzen Strichen findet, welches sich nach den drei Grundfarben und ihren unmittelbaren Ableitungen strukturiert.

In diese neue Sicht der Welt als Ausdruck von Sichtbarkeit, die sich selbstverständlich nicht allein auf Pissarros Ansatz stützt, sondern – in unterschiedlicher Ausprägung – die Grundlage der gesamten impressionistischen Malerei bildet, wird Gauguin von Pissarro eingeführt. Er wird ihn die primäre Flächenbindung der Malerei gelehrt haben, auch die Wichtigkeit der Beobachtung des Gesamten, des koloristischen Bildzusammenhangs, der weit stärker zu beachten sei als die Ausführung der Details. Und auch die helle Naturfarbigkeit wird zu Wort gekommen sein, wie das Bild der »Apfelbäume von L'Hermitage«, 1879 (Abb. 6), unschwer erkennen läßt.[18] Gleichwohl zeigt ein Vergleich mit Pissarros »Schubkarre« auch deutlich Unterschiede, die dann für Gauguins Entwicklung von entscheidender Bedeutung sein werden. So sind – um nur einiges zu nennen – zwar die Farbfelder mit kurzen

Pinselstrichen gegeben, aber doch kaum moduliert, weshalb sie weitgehend als Felder erhalten bleiben; das betrifft den Himmel, aber auch die Wolken, die zugleich als Formfelder gesehen werden und trotz des Vibrationseffekts opak scheinen; das zeigt sich an den Bäumen, deren Laub lichtundurchlässig wirkt und an den Schatten, die – obwohl farbig – zu selbständigen Formgebilden verklumpen.

Mit anderen Worten, Gauguin übernimmt zwar die Flächigkeit, die Farbigkeit und die Technik des Impressionismus, verfolgt aber in der Darstellung selbst eher eine durch Farbe bewirkte Bindung von Feldern, die – wenn auch mit fließenden Übergängen versehen – sich gleichwohl gegeneinander absetzen. Eine deutliche Tendenz, gegen die leichtfüßige Auflösung der Formen in Farbmaterie eine gleichsam schwerblütige Formbindung beizubehalten, so daß die impressionistischen Bilder Gauguins gerade durch die Verkettung insularer Formfelder vergleichsweise fest, gebaut erscheinen, immer auch ein wenig getrübt, und von daher kaum mit jenem Etikett auszuzeichnen wären, das man vorschnell dem Impressionismus insgesamt glaubte umhängen zu können: der »sonntäglichen Feier der Natur«.

Rechts im Mittelgrund des Bildes findet sich im übrigen eine gebückte Gestalt, wohl ein im Feld arbeitender Mann, unauffällig. Gleichwohl scheint damit ein Thema angeschlagen, das durch Gauguins Malerei wieder zu Ehren kommen sollte: Figur und Landschaft. Auch hierzu könnte freilich Pissarro den Anstoß gegeben haben, der als erster der postakademischen Maler wieder Figuren in die Landschaft einfügte – das Bild der »Schubkarre« mag als Hinweis dienen. Doch haben sich auch andere Impressionisten, z. B. Renoir oder Monet, zumindest zeitweise, in den 80er Jahren etwa, um diese Thematik bemüht, wie man ja überhaupt Gauguins impressionistische Vorbildwelt kaum auf die Figur Pissarros hin wird einschränken wollen. Pissarro ist hier eher als Symbolfigur für den Impressionismus zu verstehen und damit stellvertretend für die impressionistische Vorbildwelt Gauguins insgesamt; er war auch wirklich der Lehrer, dem der Schüler Gauguin nicht nur in einer stark persönlich gefärbten Bindung anhing, sondern der dem Schüler auch freundschaftlich entgegenkam (ganz im Unterschied etwa zu Monet oder Cézanne, die Gauguin nicht mochten), und dessen pädagogischem Geschick (dem ja auch Cézanne einiges zu verdanken hat) vor allem zuzuschreiben ist, daß Gauguin so rasch den Weg aus den etwas trüben, der Schule von Barbizon verpflichteten Anfängen heraus zu impressionistischen Einstellungen fand.

## Badende

War das Bildthema Figur und Landschaft in den »Apfelbäumen von L'Hermitage« allenfalls angeschlagen, so bringt die »Badeszene bei der Mühle des Bois d'Amour in Pont-Aven« (Abb. 7) von 1886 gleichsam seine orchestrale Durchführung. Obschon in impressionistischer Weise gemalt, fallen doch auch hier die Besonderheiten auf, die Gauguins Gestaltungstendenz von denen der übrigen Impressionisten deutlich unterscheiden. Wie bei den »Apfelbäumen« bleibt auch bei der »Badeszene« die Farbe merkwürdig opak, lösen sich trotz der kurzen Pinselstriche die Farbfelder nicht auf, fehlt das Licht, fehlen hier auch Schatten und scheint die flächenhafte Tendenz – nicht zuletzt aufgrund eben dieser Besonderheiten – verstärkt, das Bild wie aus farbigen Steinen aufgemauert. Vor allem der harte Gegensatz von heller Vordergrundfläche und dunkel gehaltenem Bildgrund fällt ins Auge, der sich noch dadurch verstärkt, daß die Bereiche des Hintergrunds nahtlos ineinander übergehen, nämlich der Fluß und das hintere Ufer bzw. das Ufer mit Büschen und die Mühlenhäuser.
Von daher ergibt sich eine Konzentration des Bildlichen auf den Vordergrund hin, also den breiten gelben Wiesenstreifen und die badenden bzw. sitzenden Figuren, während der Hintergrund nur gleichsam einen Kommentar abzugeben scheint, eine szenische Erläuterung für die stärker isoliert genommene, weniger narrativ aufgefaßte Vordergrundsdarstellung. Zweifellos dokumentiert sich in diesem Aus- bzw. Gegen-

7 **Badeszene bei der Mühle des Bois d'Amour in Pont-Aven, 1886**

einander der jeweiligen Gründe gerade auch die besondere Problematik des Bildthemas, das auf eine Verbindung von Aktfigur und Landschaft zielt. Die nackte menschliche Figur, die seit der Fanfare, der »Aktstudie« von 1880, welche Huysmans so begeistert aufgenommen hatte, zu den Themenschwerpunkten Gauguinscher Kunst zählen sollte, zeigt sich hier in Kombination mit dem anderen zentralen Thema Gauguins, der Landschaft, freilich nicht ohne Bruch. Jedenfalls erscheinen die Figuren vor, nicht in der Landschaft. Und dies, obwohl Gauguin durch die szenische Konstellation eine solche Verbindung eher leicht hätte erreichen können. Tatsächlich sind die Aktfiguren stärker als alle sonstigen Bildungen des Vordergrunds

**8 Paul Cézanne, Badende, 1883-87**

farbig differenziert, in ihrer Körpermodulation übergängig momentan und in ihrer Motivik auch auf die Situation, das Baden, ausgerichtet; entsprechend hätte von der Gestaltungsweise der Figuren her eine unmittelbare Verbindung mit der ebenso differenziert gestalteten Hintergrundsmotivik ohne weiteres gelingen müssen. Da dieser bruchlose Übergang nicht erfolgt, wird man die Gründe hierfür weniger in der Problematik des Themas Akt-Landschaft selbst, als vielmehr in einer bestimmten Gestaltungsabsicht des Autors zu suchen haben, wollte Gauguin ganz offensichtlich eine solche Bindung nicht, wollte er – die Art der Vordergrundbildung macht dies deutlich – eine Herausnahme der Figuren und damit den *Bruch* des Bildkontinuums.

 Es lohnt sich in vielerlei Hinsicht, von hier aus einen

Blick auf zwei andere Badeszenen zu werfen, nämlich auf Seurats »Badende« von 1883/84 und Cézannes »Badende« von 1883-87 (Abb. 8). Das Thema der »Badenden« bzw. des Akts in der Landschaft hatte Paul Cézanne von Anfang an beschäftigt, mit ihm hat er sich auch am häufigsten auseinandergesetzt. Es gibt mehr als 200 Darstellungen (Gemälde, Zeichnungen, Aquarelle) dieses Themas, so daß man wohl annehmen kann, daß der Akt in der Landschaft einen direkten Weg in das Zentrum der Kunst Paul Cézannes eröffnet.[19]

Vergleicht man Gauguins »Badeszene« mit Cézannes Darstellung, zeigt sich rasch, daß man bei Cézannes »Badenden« kaum von einer Szene wird sprechen können. Auch wenn die Aktfiguren vergleichbare Tätigkeiten wie das Sich-Abtrocknen, das vorsichtige Ins-Wasser-Steigen oder Fröstelnd-im-Wasser-Stehen zu erkennen geben, sperren sie sich doch deutlich gegen ein situationsbedingtes Verstehen. Zu sehr sind diese Figuren vereinzelt, vereinfacht und verfestigt. Zugleich aber wissen sie sich in einer sehr besonderen Weise als vereinzelte, isolierte Körperformen im Kontext der Naturformen aufgehoben.

Hierfür ist zunächst entscheidend, daß die Figuren nicht nur das Bildfeld überspannen und sich damit als gleichgewichtige Partner zu den Naturformen gesellen, sondern daß diese – wesentlich vertikal strukturiert – selbst den menschlichen Formen korrespondieren. Eine solche Anknüpfungsmöglichkeit, daß – vereinfacht gesagt – die Naturform die menschliche Form nicht nur foliiert, sondern gleichsam als deren Ursprungsform gesehen werden kann – wobei in der Schwebe bleibt, ob die menschliche Form in die Naturform zurück – oder aus dieser heraus – sich entwickelt, eine solche optische Anknüpfungsmöglichkeit findet sich bei Gauguins Darstellung nicht. Sie muß als typisch für Cézannes Bildkonzept bezeichnet werden und beruht auf einer Gestaltungsweise, derzufolge nicht nur jeder konkrete Orts- oder Zeitbezug eliminiert ist, sondern auch jede konkrete Form der Individuierung der Figuren und Gegenstände und damit auch jede Form einer situationsbezogenen Verortung derselben.[20] Tatsächlich ist z. B. der Anlaß für das eigentliche Tun der Figuren, das Wasser, kaum noch auszumachen, erscheint es eher als eine Mitrealität des farbigen Aufbaus der Figuren und der Landschaft, so daß motivgebundene Bewegung zum Ausdruck kreatürlicher Befindlichkeit avanciert, jenseits aller Zweckorientierung oder Motivgebundenheit.

Entsprechend geht es Cézanne im Thema der Badenden nicht um eine Genreszene, sondern um eine Verbindung von Natur und Mensch ganz prinzipiell, d. h. um eine Einheitssetzung im Sinne mythischer Ursprünglichkeit, wobei die Bewegungen der Figuren sich als das Ritual einer auf harmonischen Ausgleich ausgerichteten Natur- und Menschengemeinschaft zu erkennen geben.

Gauguins Formbewegungen dagegen sind eindeutig szenisch fixiert, ebenso wie die Szene zeitlich und örtlich fixiert ist. Das macht nicht nur der Titel deutlich, sondern mehr noch die Darstellungsweise selbst, nicht nur die Aktfiguren, sondern vor allem auch die sich rechts anfügenden kostümierten Akteure. Freilich hätte es deren Zeitimplikation kaum bedurft, zeigen sich doch die Aktfiguren in der farbigen Durchbildung ihrer Oberflächen, die nicht nur der augenblicklichen

Gesehenheit, sondern ebenso der plastischen Vorstellbarkeit der Körper dient, so stark individualisiert, daß man fast auf portraithafte Absichten schließen könnte. Vom Ausziehen der Kleidung, über den Kleiderhaufen bis zu den Bewegungen im einzelnen gibt das Szenisch-Momentane den Ton an, ja, dieses ist selbst in der Landschaftsschilderung zu erkennen: So ist der Fluß gestaut, stürzt das Wasser über ein Wehr, zeigt sich das Portraithafte einer bestimmten Mühlensituation.
Gleichwohl will sich das Bild damit nicht zufriedengeben, will es sich nicht im Szenisch-Augenblicklichen zur Einheit erfüllen. Denn diese wird ja gestört durch den gelben Vordergrundstreifen, der sich einer solchen szenischen Vereinnahmung entzieht und dadurch auch teilweise die Figuren verändert, die sich nun in ihrer besonderen, vor allem auch szenisch bedingten Haltung, stärker exponieren, hervortreten.
Ein Riß zeigt sich in der bildlichen Darstellung der Badeszenen und darin der Keim eines Bildkonflikts, eines Konflikts zwischen der augenblicklichen Gesehenheit einer Badeszene – im Sinne des Impressionismus, demzufolge alle Gegenstände und Formen gleichberechtigtes farbiges Material sind – und deren besonderer Zurichtung durch den Sehenden, d. h. durch dessen durchsehendes Eingreifen, das z. B. Wesentliches von weniger Wesentlichem unterscheidet und damit strukturbildend eingreift. Eine solche, durch Eingriffe bestimmte Struktur ist natürlich subjektiv begründet, läßt sich nicht herleiten aus der reinen Seherfahrung des Gegenständlichen, sondern bezieht Wahrnehmungen ein, die über das Gegenständliche hinaus gleichwohl am Gegenständlichen ›Bedeutung‹ erhalten sollen.

Damit geht es aber Gauguin nicht mehr um die voraussetzungslose, freilich auch immer bildtechnisch bedingte malerische Exekution eines bestimmten, vorliegenden Motivangebots, sondern auch und zugleich um die optische Herausstellung eines von diesem besonderen Motivangebot ausgelösten, gleichwohl über das Situationale hinausgehenden prinzipiellen Sinnzusammenhangs. Denn nimmt man den Bruch im Bilde ernst und sieht die Figuren vom Hintergrund isoliert, d.h. teilweise selbständig, ergeben sich über die situationale Beziehung hinaus neue Beziehungssetzungen, formal bestimmt, etwa die Verbindung der beiden in der Mitte zusammenstehenden Aktfiguren mit dem gestauten Wasser bzw. dem frontal sichtbaren Giebel des Hauses, oder die Verbindung des hockend geneigten Knaben links in Verbindung zum herabstürzenden Wasser bzw. der verschwindenden Hintergrundszene am linken Bildrand, oder die Verbindung der beiden nebeneinander im Wasser stehenden Knaben mit dem gestauten Wasser bzw. dem längsgestellten horizontalen Haus am gegenüberliegenden Ufer. Verbindungen auch, die, nicht szenisch begründet, sondern formal erwirkt, die besondere Haltung und Position der Aktfiguren in Korrespondenz zu landschaftlichen Formationen bringen und so Vergleichsmöglichkeiten aufschließen, denen zufolge sich eine selbstverständliche Badeszene z.B. zur Bildmetapher für menschliche Existenz wandeln kann: Nämlich die einzelnen Lebensstadien im Strom des Lebens charakterisierend, beginnend mit dem Stadium des unbewußten Eingebundenseins ins Leben (Nebeneinander-Stehen, Horizontale), des bewußten Sich-entgegen-Stemmens, der Individuation und des Aufbegehrens (Beieinander-Stehen, Verti-

kale) und schließlich des Zurücksinkens, des Sich-Verlierens und Weggebens (sitzend, geneigt, Diagonale). Gauguin suchte hier zweifellos über die reine Augenerfahrung hinaus die Sicht auf eine weitere Anschauungsebene zu öffnen, indem er die kohärente Sicht der reinen Augenerfahrung, die situationale Seh-Einheit bricht. Freilich bricht er dabei nicht die kohärente Sichtweise der Figuren, denen allein durch die auffallende Vordergrundbildung eine Mehrschichtigkeit in ihrem Bedeuten zuwächst. D. h. allein über den Bruch im Bild werden sie nicht nur als die konkreten Gegenstände gesehen, die sie qua Farbe und Farbdifferenzierung sind, sondern so können sie zugleich als Formchiffren verstanden werden, als Verweise, die den Blick auf ein Dahinterliegendes öffnen sollen: Es liegt der Versuch vor, am identischen Motiv der Badenden *zwei* Verstehensebenen zu öffnen und einen Übergang innerhalb der Seherfahrung zu bewerkstelligen, bei dem das Motiv der Badenden selbst, an dem sich dieser Übergang vollziehen soll, unberührt bleibt.
Daß dieser Versuch Gauguins zur Zufriedenheit ausgefallen sei, wird verneinen müssen, wer einen Blick auf jene Badeszene geworfen hat, die solch eine Durchsehung des Situationalen auf das Elementare eines bestimmten Motivangebots hin gleichsam bruchlos meistert, ich meine George Seurats »Eine Badestelle bei Asnières« von 1883/84 (Abb. 9). Vom Motivbestand und vom Blickwinkel her ebenso situational und zufällig, von der Örtlichkeit ebenso bestimmt wie in der Technik des Farbauftrags differenziert und die Formen auflösend wie die »Badeszene im Bois d'Amour«, fehlt doch Seurats Bild jenes situations- und szenisch bedingte Beliebigkeitspotential, das Gauguin durch

**9 Georges Seurat, Eine Badestelle bei Asnières, 1883/84 (um 1887 überarbeitet)**

den Bruch des Bildes zu überwinden suchte. Seurat scheint solcher Maßnahmen nicht zu bedürfen. Denn bei der Strenge und Endgültigkeit seiner Figuren- und Landschaftserscheinung muß man sich allererst bewußt machen, daß wir es auch hier zunächst mit der Wiedergabe einer banalen Alltagsszene zu tun haben, die an einem bestimmten Punkt der Seine (bei Asnières) aufgenommen, den Ausgangspunkt bzw. den Rahmen abgibt, durch welchen der andere Bereich, der dominante, nämlich der des Unselbstverständlichen, von Ort und Zeit Unabhängigen hindurchgesehen wird. Genau umgekehrt zur Badestelle im Bois d'Amour erweist sich die bei Asnières von vornherein als endgültig und fest, zeigt sich das Zu-Transzendierende im Transzendierten aufgehoben enthalten.
Seurat erreichte diese scheinbar widerstandslose Durchsehung des Alltäglichen mit Hilfe einer Darstellungs-

weise, die auf ein bildnerisches Mittel zurückgreift und neu einsetzt, welches der Impressionismus – zumindest in der Auffassung seiner wichtigsten Exponenten – bewußt ausgeschlossen hatte, nämlich die Linie in der Form des dingabgrenzenden Konturs. Wenn z. B. Pissarro mit Bezug auf die Zeichnung feststellt: »Es ist unnötig, eine Form zu umgrenzen; sie kann auch ohne dies zur Geltung kommen. Genaue Zeichnung wirkt hart und schadet dem Gesamteindruck«,[21] dann trifft er hiermit nicht nur exemplarisch die Auffassung der Impressionisten, sondern auch eine Entscheidung für den Primat der Farbe, d. h. er ergreift Partei in einem Streit, der in der französischen Kunsttheorie und Kunstkritik eine lange Tradition besitzt. Und wenn dagegen Seurat sehr deutlich mit Konturwerten arbeitet, damit aber die Zeichnung betont einsetzt wie sonst im Kreis der auf impressionistischen Ausstellungen vertretenen Künstler nur noch Degas, dann ist auch dies nicht allein die Hereinnahme irgendeines künstlerischen Ausdrucksmittels, sondern eine bewußte Entscheidung in jenem untergründig seit dem 17. Jahrhundert geführten Kampf zwischen den Verfechtern der Farbe und den Verfechtern der Zeichnung als dem zentralen Gestaltungsmittel der Malerei, die auch für die Auffassung von Malerei ganz allgemein weitreichende Folgen hat.[22]

Natürlich verleiht die dingbegrenzende Konturlinie – wie Pissarros Äußerung deutlich macht – dem Ding eine besondere Dignität, welche – der impressionistischen Auffassung entsprechend – auf dem Altar des farbigen Insgesamt geopfert werden sollte. Doch belehrt ein Blick auf Seurats »Eine Badestelle«, daß die vermeintliche Antinomie: Farbe oder Zeichnung durchaus zu überwinden ist. Auch Seurats Bild bietet zunächst ein farbig dominiertes Insgesamt, aber eben nicht auf Kosten der Valenz des figürlich Einzelnen, das sich durch Zeichnung festigt: Das einzelne und das Insgesamt bilden bei Seurat eine Einheit, zeigen sich synthetisiert.

Seurat erreicht diese Synthese aber vor allem durch zwei Strategien. Zum einen dadurch, daß er die Farbgebung systematisiert, d. h. rigoros regelt, so daß sie weitgehend unabhängig von dem jeweiligen Farbträger eine bildliche Einheit gleichsam a priori formuliert. Und zum anderen dadurch, daß er die Formgebung systematisiert, d. h. rigoros regelt, nämlich so, daß sie weitgehend unabhängig von dem jeweiligen Formträger, dem Motiv ein bildlich geschlossenes System gleichsam a priori abgibt. Indem aber durch die formale wie die farbige System- und Strukturbildung eine Gesamtheit solcherart prinzipiell geregelt vorgegeben scheint, tritt das aktuell Einzelne in einen Kontext, in dem es sich wandelt, um dann selbst als unzufällig, fest und endgültig erfahren zu werden.

Festigkeit und Sicherheit der Bilderscheinung fußen somit sehr wesentlich auf dem genau überlegten und äußerst disziplinierten Einsatz der bildnerischen Mittel; fußen damit letztlich auf einer Arbeitsweise, die – als akademisch diskreditiert – in deutlichem Gegensatz steht zum impressionistischen Dogma unmittelbarer Niederschrift und skizzenhafter Improvisation. Gleichwohl unterscheidet sich Seurats Kompositionskunst grundsätzlich von jener der akademischen Tradition. Denn ihm geht es gerade nicht um die »Zusammenstellung« von Einzelnem zu einem Ganzen, Komposition im traditionellen Sinn, sondern – umgekehrt – um die

Unterteilung eines Gesamten durch figurale Einzelwerte, Komposition als Division, und zwar derart, daß die Gesamtheit als Leitwert auch im Unterteilten präsent bleibt. Ein wesentliches Mittel, um dies zu erreichen, ist das Vermeiden jedweder symmetrischer Figural-Konstellationen. So befindet sich z. B. die zentrale, sitzende Figur nicht in der Bildmitte, sondern ist nach rechts hin verschoben, können auch die übrigen vier Figuren des Vordergrunds – zwei auf der Uferwiese, zwei im Wasser – nicht symmetrisch mit der mittleren Figur zusammengebracht werden. Vielmehr ergeben sich ganz unterschiedliche und damit in Spannung stehende Distanzwerte, die erst im Hinblick auf die formale Gesamtstruktur des Bildes, also im Hinblick auf die Gesamtheit des Bildes ausgeglichen, harmonisiert werden.
Gerade aber für eine solche Feinabstimmung formaler Wertigkeiten müssen die Formen selbst fest sein, wozu Seurat die Konturwerte dienen. Doch festigen sie als Linienwerte nicht nur die Formen, sondern auch den Bildbau insgesamt. Denn sie werden als Konturwerte nicht von den Dingformen vereinnahmt, sondern bestimmen sich immer auch und zugleich als Grenzwerte von Flächen, die hier aufeinander treffen. Wobei die zusammentreffenden Flächenformen ganz unterschiedlichen Gegenstandsbereichen angehören können: Wasser und Ufer, Wasser und Körper, Architektur und Himmel. Zu solchen Grenzwerten werden die Konturlinien freilich erst dadurch, daß sie – schematisiert – weniger gegenstandsbeschreibend als vielmehr Gegenständliches geometrisierend, d. h. umformend eingesetzt sind. Dadurch wandeln sie Gegenstandsformen in formale Flächenwerte, die – aneinanderge-

fügt – die Gesamtheit des Bildes bildmusterartig strukturieren.
Daß trotz dieser Systematisierungen, Regelungen und Begrenzungen kein kaltes und langweiliges, kein genormtes und abweisendes, sondern ein spannendes und spannungsreiches Bild zustandekam, liegt aber daran, daß Seurat zunächst vom Motivischen her mit starken Gegensätzen und betonten Unregelmäßigkeiten aufwartet, die er dann formal mit einer außergewöhnlichen Sicherheit auszugleichen weiß. So gibt die entschieden von der unteren rechten Bildecke zur oberen linken verlaufenden Uferlinie eine Verteilung des Bildinventars und -personals, derzufolge die Landschaft insgesamt nicht nur zufällig und offen, sondern links auch deutlich übergewichtig erscheint: Aufgrund der Farbe (Grün gegen Blau), aufgrund der Anzahl und der Größe der hier versammelten Personen.
Dennoch wirkt das Bild absolut ausponderiert. Das rührt einerseits von der Ausrichtung der Figuren links her, die alle nach rechts hin orientiert sind, und damit aktuell der schwächeren Seite Gewicht verleihen, das dann durch den roten Akzent des »Rufenden« (Hut und Hose), verstärkt wird; andererseits von der Position der übergroßen, sitzenden Figur, die, wie gesagt, nicht im Zentrum des Bildes angeordnet, sondern nach rechts hin verschoben ist und zudem in der Rückenlinie und dem Nacken eine Schrägrichtung angibt, die von den Bäumen am rechten oberen Bildrand aufgenommen und in der Schulter- und Unterarmpartie des ausgestreckt im Vordergrund liegenden Mannes präludiert erscheint.
Genau dies aber könnte Seurats Konzept charakterisieren: Harmonie als Ausgleich von Gegensätzen, Form-

10 Pierre Puvis de Chavannes, Doux Pays, um 1882

verbindungen und -konstellationen werden *indirekt* als Resultat eines Bildprozesses erkannt, d.h. in der Auseinandersetzung mit dem Bild, sie werden nicht vorausgesetzt. Wir sehen sie, indem wir das Bild durchsehen. Und indem wir so eine banale Badeszene betrachten, erscheint sie uns als der poetische Entwurf einer harmonischen Einheit von Mensch und Natur, einer ursprünglichen, freien Verbindung, die – möglicherweise nur als Traum – sich gleichwohl in dieser, durch Industrie, durch Schlote und durch die konkrete Wiedererkennbarkeit des Ortes bestimmten, d.h. eigentlich zufälligen und banalen Ansicht offenbart: Vision einer seinsmäßigen Harmonie von Mensch und Natur im Licht, die sich dem Sehenden durch eine industrialisierte Landschaft eröffnet.

Natürlich erlaubt Gauguins Bild keine vergleichbare Durchsehung seiner alltäglichen Badeszene. Es sind vor allem die Aktfiguren selbst, die sich einer wirklich weiterführenden Sicht verweigern. Es fehlt jene bei

**11 Pierre Puvis de Chavannes, Doux Pays, Ausschnitt**
**12 Kämpfende Knaben, 1888**

Seurat durch den Kontur erzeugte Umwandlung von Gegenstandswerten in Zeichenwerte bzw. jene bei Seurat realisierte Mittelstellung zwischen Gegenstands- und Zeichenwert. Gleichwohl zielt auch Gauguins Darstellung auf die Evokation einer weiterführenden Sicht am Gegenständlichen, eine Sicht, die nicht eine veränderte Gegenständlichkeit meint, sondern die Durchsehung des Gegenständlichen auf ein Anderes hin. Denn Gauguin brach die *einheitliche Sichtweise* im Bild der Badenden, nicht deren konkrete Körpergestalt. Und auch in seiner weiteren Entwicklung geht es Gauguin nicht um eine Veränderung des Gegenständlichen, im Sinne von Idealisierung z. B., sondern Veränderungen dienen allein der Eröffnung einer Sicht durch den Gegenstand hindurch.

Daß diese Art der Sicht des Gegenständlichen, wie sie Gauguin mit seinen »Badenden« intendierte und Seurat sie in seinen »Badenden« realisierte, nicht mit einer

Idealisierung des Gegenständlichen zu verwechseln ist, mag der Blick auf jene ›Badeszene‹ deutlich machen, die Seurats Bild möglicherweise angeregt, sicher aber seine konturbestimmte und damit Gegenstände in begrenzte Flächenformen umwandelnde Gestaltungsweise stark beeinflußt hat, nämlich Puvis de Chavannes' »Doux pays« (Abb. 10) von um 1882. Hier sind Zeitentrückheit und symbolische Bedeutung gleichsam einschichtig dargeboten im Motiv der arkadischen Landschaft; eine Darstellung, welche im direkten Rückgriff auf den Mythos die Einheit von Mensch und Natur zu visualisieren sucht: Vision als Wirklichkeit, nicht Wirklichkeit als Vision. Gleichwohl bietet Puvis de Chavannes' Malerei eine deutliche Alternative zu impressionistischen Vorstellungswelten und damit natürlich Anhaltspunkte für jene Maler, welche den Impressionismus zu erneuern, bzw. zu überwinden suchten. So hat nicht nur Seurat wesentliche Anregungen von Puvis de Chavannes empfangen, auch Gauguin hat ihm manche Einsicht zu verdanken.[23] Sogar konkrete ›Anleihen‹ sind hier zu nennen, wie die kämpfenden Knaben aus Puvis de Chavannes' »Doux pays« (Abb. 11), die Gauguins »Kämpfende Knaben« (Abb. 12) von 1888 inspirierten und so ein Bild mitermöglichten, welches einerseits das künstlerische Fazit der »Badeszene bei der Mühle des Bois d'Amour in Pont-Aven« darstellt und andererseits einen deutlichen Schritt vorwärts auf dem Weg zur eigenen Bildkonzeption hin, die dann mit der »Vision nach der Predigt oder Jakobs Kampf mit dem Engel« erreicht werden wird.

## Kämpfende

Kämpfende Knaben, in Gauguins Gemälde die entschieden groß angelegten Hauptfiguren, bilden in Puvis de Chavannes' »Doux pays« die bewegte Mitte der sonst ruhig sich ausbreitenden Landschaft: Der Lebenskampf, in arkadischer Umgebung, spielerisch gedeutet als kindliche Balgerei. Das hat mit Gauguins Auffassung natürlich nichts gemein. Doch finden sich formal Gemeinsamkeiten, etwa in der monochromen Flächenbildung oder in den deutlich vom Kontur her miterzeugten Körpern der Kämpfenden, aber auch in der betonten Flächigkeit des Bildaufbaus insgesamt. Allerdings könnten die sich darin dokumentierenden neuen Gestaltungsabsichten Gauguins auch verstanden werden als eine Art Weiterführung und Präzisierung jener bereits in der Ausbildung des Vordergrundbereichs der »Badeszene« beobachteten Tendenzen: Vermeinte man in der »Badeszene« noch eine wohlräumige Tiefe ausmachen zu können, obwohl der Horizont vermauert und der Himmel abgeschnitten war, so zeigt sich bei den »Kämpfenden Knaben« Raumtiefe radikal in Fläche überführt. Die Vereinfachung und Systematisierung der Gestaltungsweise bezieht sich folglich nicht mehr nur auf einen Teil, sondern ergreift das gesamte Bild, auch die Figurendarstellung. Darauf verweist jedenfalls die ›Deformation‹ der Körperformen, weniger das Körpermodelé, das weiterhin impressionistisch orientiert bleibt.
Bei solch weitgehenden Änderungen kann natürlich das Szenische der Darstellung nicht unberührt bleiben:

So ist der Fluß unwichtig geworden, nur im Uferstreifen noch zu erahnen, wie ja auch die Aktion der »Badenden« nichts mehr mit dem Bad zu tun, sondern sich zum Kampf entwickelt hat. D. h. die Badeszene ist nicht nur verkürzt worden – es fehlt, wenn man so will, die Einleitung, das Ablegen der Gewänder, bzw. der Zivilisation, um sich natürlich, in einem ursprünglichen Zustand bewegen zu können, wie das in der »Badeszene« ausführlich am rechten Bildrand erläutert wurde, und was nun mit einem Motiv, dem Kleiderstilleben am unteren Bildrand abgehandelt wird; sie ist auch umgestaltet – so fehlt das breit Erzählende, das langsame sich Entfalten der Szene über die verschiedenen Positionen der unbekleideten Figuren. Statt dessen ist alles auf ein prägnantes Motiv hin ausgerichtet und konzentriert, das freilich nicht die Szene des Badens erläutert, sondern jenes, was die Badeszene in einer weiterführenden Sicht verkörpern sollte, die Lebensmetapher. Diese erschließt sich hier als Kampf. Das Nebeneinander und die Abfolge von Zuständen oder Stufen ist verdichtet, hat sich zu einem aktuellen Miteinander gesteigert bzw. einem Gegeneinander dramatisch zugespitzt, einem Ringen, das gleichwohl spielerische Elemente enthält.

Folglich gibt Gauguin mit den »Kämpfenden Knaben« – und zum erstenmal uneingeschränkt – eine Deutung des Ganzen sinnlicher Erfahrung als Einheit aus Gegensätzen, als Kampf zweier Prinzipien, hier als dem Gegeneinander von »Wildem«, Barbarischem (dem entspricht das Rot der Hose des hinteren Knaben) und »Empfindsamem«, Seelischem (dem entspricht das Blau der Hose des vorderen Knaben), die gleichwohl im Kern, dem Wesen nach, eins sind. Darin unterscheidet sich Gauguin deutlich von Cézanne, bei dem ja – genau umgekehrt – aus zunächst kämpfenden Figuren Badende werden. Tatsächlich verliert sich bei Cézanne innerhalb der Entwicklung das strikt Gegensätzliche, das sich zunächst als umfassend dokumentierte im Gegensatz der Geschlechter und zugleich als unauflösbar im Geschlechterkampf, um – die Unauflösbarkeit als naturgegeben ausgebend – schließlich in der Metapher des »Liebeskampfes« zu kulminieren. Es verliert sich in dem Maße, wie sich Cézanne – im Verfolg der Natur – an den Ursprung des Lebens zurückversetzt, d.h. wie er den Übergang von Sein und Nicht-Sein zu thematisieren, genauer, jenen Augenblick, in dem das Nicht-Mehr-Nicht-Sein und das Noch-Nicht-Sein sich verbinden, bildlich zu fassen sucht.

Dies ohnehin problematische Unternehmen scheint aber dort vor unüberwindliche Hindernisse gestellt, wo mit dem Augenblick des Welt-Werdens zugleich der Augenblick des Mensch-Werdens begriffen werden soll; also dort, wo das Bildthema nicht mehr Landschaft oder Porträt oder Stilleben heißt, sondern Landschaft und Figur. Es ist bekannt, daß Cézanne mit diesem Problem bis zu seinem Tode rang, daß sich nach seinem Tod zwei Versionen der »Badenden«, an denen er offensichtlich gleichzeitig arbeitete, in seinem Atelier vorfanden, so als habe sich erst mit dem Tod des Schöpfers die Schöpfung seiner neuen Welt vollendet.[24]

Bei Gauguin hingegen werden aus den Badenden Kämpfende. Aber die Kämpfenden sind gleichgeschlechtlich, erscheinen sehr ähnlich, scheinen zwei Spielformen ein und desselben. Auch Gauguin geht zurück, freilich nicht bis an den Anfang der Welt – wie

Cézanne –, sondern ›nur‹ bis an den Anfang der Menschheit: Gauguin versetzt sich zurück in die Kindheit des Menschen, d.h. auf eine primitive Kulturstufe. Er sucht nicht den Anfang der Welt und des Menschen, sondern den ursprünglichen Menschen, wie er nicht die Anschauung des Welt- und Menschwerdens zu ermitteln sucht, sondern die unvoreingenommene, unverformte, d.h. unmittelbar im Kontakt mit der Fülle des Natürlichen sich erstellende Weltanschauung des primitiven Menschen.

Cézanne geht von einer von innen her bestimmten Schau der Welt (subjektiv bestimmt) über zu einer Schau der äußeren Welt, die er in ihrem inneren Zusammenhang, ihrem Wesen nach in seiner Kunst zur Geltung zu bringen sucht. Gauguin hingegen geht von einer von außen her bestimmten Weltanschauung über zu einer Schau der Welt, wie sie sich gemäß ihrer ursprünglichen Erfahrung durch den Menschen darstellt, als Idee, die er in seiner Kunst zur Geltung zu bringen sucht. Cézanne sucht folglich in seiner Kunst Welt herzustellen, Gauguin hingegen Welt darzustellen. Und während so Cézanne zunehmend in Kontakt mit der Natur (oder der Welt), diese beobachtend und in ihre Geheimnisse eindringend, d. h. mit ihr Übereinstimmung oder Einvernehmen suchend, seine Kunst parallel zur Natur entwickelt, kommt es bei Gauguin zunehmend zum Kampf, zum Kampf mit sich selbst, um ein Bild der Natur als Idee entwerfen zu können: Er muß gegen sich, sein Bewußtsein, sein Wissen kämpfen, muß den »Barbaren« gegen den »Empfindsamen« ausspielen, wohlwissend, daß sie eins sind, daß niemals eine wirkliche Trennung oder Lösung wird statthaben können.

Auch bei den »Kämpfenden Knaben« zeigt Einziges sich im Kampf des Gegensätzlichen, das freilich erst durch den Versuch des Gegensätzlichen, sich gegenseitig zu Fall zu bringen, Stand gewinnt. Stand gewinnen im Gegensätzlichen, darauf wird es Gauguin ankommen. So sind im Bild der »Kämpfenden Knaben« die beiden, die Gruppe insgesamt tragenden, Füße entschieden groß gemacht und als Formen radikal vereinfacht. Sie geben der Gruppe tatsächlich Halt. Wobei entscheidend ist, daß sie als konkrete Gliedmaßen nicht zu *einer* Figur gehören, nicht zum rot (rechts) oder blau (links) behosten Knaben, sondern daß jeder Knabe der Gruppe ein Standbein liefert.
Halt im Gegensätzlichen, als Thema einer Kampfdarstellung, dies könnte einen direkten Bezug zum zentralen Kampfbild Gauguins, dem »Jakobskampf« nahelegen, zumal die konzeptuellen Übereinstimmungen schwerlich zu übersehen sind. So die klare Unterteilung der Bildfläche, diagonal geführt, in zwei Bereiche, die zwar räumlich unterschieden, gleichwohl beide in die Fläche geklappt sind, ohne Horizont; so die verstärkt einheitliche Einfärbung der zentralen Ebene, auf der der Kampf stattfindet und – damit verbunden – die Ortlosigkeit der Kämpfenden im Sinne eines vorgegebenen, die Fläche insgesamt räumlich organisierenden Ordnungskonzeptes; desgleichen die formalen Umdeutungen von Gegenstandsformen, also Verformungen, wie sie z. B. an den Füßen, in der Vereinfachung der Konturlinien und überhaupt in der Konturführung und ihrem flächenhaft schließenden Duktus zu ersehen sind.

Die Verformungen dienen vor allem der formalen Beziehungssetzung von Formen und Motiven ganz

unterschiedlicher Provenienz und von daher ihrer gegenseitigen visuellen Aufladung im Sinne einer Bildspannung, welche ihnen – aufgrund der optischen Verkettung – auch neue Sinndimensionen eröffnet. So umschließen etwa die Füße der Kämpfenden eine Kreisform, aus der heraus die ›stützenden‹ Füße einerseits die Gruppe zum linken Bildrand hin abriegeln, andererseits, vermittelt über den hellen, steinartigen Fleck, die Gruppe auf das Kleiderstilleben am unteren Bildrand öffnen, wobei das Kleiderstilleben selbst wieder eine Rundbogenform ausbildet, welche dann durch die Rundformen des Hutes und des überschneidenden Kleidungsstücks rechts ihrerseits präzisiert erscheint.
Zugleich bezieht sich die Gruppe der Kämpfenden über den Fuß und den rechten Oberarm des rückwärtig gegebenen Jungen auch auf den Knaben mit dem ausgestreckten Arm am oberen Bildrand. Dieser greift, aus der Zone des Wassers kommend und ihr zugehörig, in die Wiesenfläche über. Im bildlich übertragenen Sinn bedeutet dies, daß er sich aus der Phase des Unmittelbaren, Ungeordneten und gleichsam Fließenden (es ist hier der Wasserfall der »Badenden vom Bois d'Amour« als Signalwert tradiert) zu lösen und auf festen Grund zu gelangen sucht, der freilich erst durch seinen Arm, der eine obere, und durch den linken Fuß des blau behosten Knaben, der – zu diesem Zweck erheblich verformt[25] – eine untere Begrenzung anweist, als tragfähiger Grund in Erscheinung tritt.
Doch die formale Korrespondenz von Grenzwerten allein veranlaßt noch keine Ortsbestimmung, geschweige denn eine feste Position. Auch der Wiesengrund zeigt sich zunächst unfest, fließend. Positionierung, Stehen

auf festem Boden, ergibt sich nicht von selbst oder als Folge eines ›Umsteigens‹, sondern allein als Resultat bewußter Auseinandersetzung, als Ergebnis eines Kampfes: Erst im Kampf der Gegensätze findet man Halt, erschließt sich ein Standort, kreisförmig, der folglich aktuell erwirkt im Kreis der Füße, nicht aber faktisch basiert ist; zum Faktum wird er erst im Kleiderstilleben, wieder ein kreisrunder Ort, mit Kleidungsstücken festgelegt, welche die Verortungskategorien der ›Zivilisation‹ annoncieren und damit vermeintlich sichere Positionierungen, denen aber das Leben ermangelt.

Doch sind in diesem Stilleben auch jene Gegensätze und Widersprüche zumindest farbig angesprochen, die dann in den Figuren, in der Handlung und den Landschaftsmotiven Leben gewinnen: Der Kampf zwischen Blau und Rot, zwischen Dunkelviolett bis Schwarz und dem farbengesättigten Grau-Weiß, das ähnlich beim Wasserfall auftritt. »Ich habe eben ein paar Aktstudien gemacht, die Ihnen gefallen werden«, so schreibt Gauguin am 8. Juli an seinen Freund Schuffenecker. »Das letzte Bild zeigt den Ringkampf von zwei Jungen am Flußufer, ganz japanisch, gemalt von einem wilden Indianer aus Peru! Sehr wenig ausgeführt. Der Rasen grün, der Himmel weiß« und er glaubt hinzusetzen zu müssen: »Sie sind nicht mit Degas' Arbeiten zu vergleichen«.[26] Offensichtlich befürchtete Gauguin, daß man ihn allzu rasch mit Degas in Zusammenhang bringen könnte, nicht zu Unrecht. Denn tatsächlich lassen sich die »Kämpfenden Knaben« durchaus mit dessen Arbeiten vergleichen. Nicht unbedingt motivisch, obwohl hier die »Jungen Spartanerinnen« immer wieder genannt werden, wohl

aber konzeptuell: Das Arbeiten primär aus der Fläche heraus, dabei die Flächen und Figuren kühn kombinierend, das scheinbar zufällige Überschneiden von Formen und Motiven als Resultat genauester Flächenkalkulation, der dezidierte Einsatz der Linie – kurz alles das, was Gauguin mit »ganz japanisch« charakterisieren möchte, kennzeichnet in gleicher Weise die Gestaltungsgrundlagen Edgar Degas'. Wobei bekanntlich auch er entscheidende Anregungen von japanischen Holzschnitten bezog.
Doch mochte Gauguin Degas' Einfluß gerade jetzt nicht eingestehen, suchte er vielmehr seine Originalität herauszustellen und damit seine Gleichwertigkeit zu bekräftigen. Aber natürlich schätzte er die Kunst Degas', wußte er sich auch mit ihm verbunden, der ja, wie er, als ein Parteigänger der Linie und damit als Ingres-Verehrer, im Kreis der Impressionisten, den Parteigängern der Farbe, also im Kreis der Delacroix-Verehrer, kaum mehr als eine, wenn auch geachtete, Außenseiter-Rolle zu spielen hatte.

## Die »Querelle«

Mit Ingres und Delacroix sind jene beiden Protagonisten benannt, die den in der französischen Kunst und Kunsttheorie 200 Jahre lang schwelenden Streit zwischen den Anhängern der Farbe und denen der Zeichnung als dem primären Gestaltungsmittel der Malerei, zum Feuer haßerfüllter Gegnerschaft schürten. Das hatte natürlich weniger mit der jeweiligen Bevorzugung eines der Gestaltungsmittel zu tun, als vielmehr mit den jeweils verschiedenen künstlerischen Ansätzen, für welche die Gestaltungsmittel nur den Decknamen abgaben, d.h. mit den unterschiedlichen Konzepten von Malerei und den damit verbundenen unterschiedlichen Zugangsweisen zur Welt durch Malerei.
Man sollte meinen, dieser Streit habe nun lang genug gedauert und die Feindseligkeiten hätten sich am Ende des Jahrhunderts erschöpft. Doch kann ein Brief Gauguins vom November 1888 aus Arles an Émile Bernard deutlich machen, daß die alten Streitigkeiten nicht nur nicht vergessen, sondern weiterhin für Klassifikationen ausschlaggebend sind: »Vincent und ich«, so beklagt sich Gauguin, »stimmen selten überein in unseren Ansichten, besonders was die Malerei angeht. Er bewundert Daumier, Daubigny, Ziem und den großen Rousseau, alles Leute, die ich nicht ausstehen kann. Dafür verabscheut er Ingres, Raffael, Degas, die ich bewundere«.[27] Die alte Parteiung, hier Farbe, dort Zeichnung, feiert fröhliche Urständ, auch wenn man den jeweiligen Zuordnungen – mit Daumier auf seiten der Farbe und Degas auf seiten der Linie – nur mit

Zögern wird folgen können. Gleichwohl scheint es angeraten, jenen schon mehrfach erwähnten Streit, der zwar weit in die Geschichte der französischen Kunst und Kunsttheorie zurückreicht, sich aber offensichtlich fortwährend verjüngte und damit aktuell, ein Dauerstreit blieb, eben die »Querelle des Anciens et des Modernes« ein wenig genauer zu betrachten.[28]
Streit zwischen Traditionalisten und Modernisten hat es innerhalb der Kunst wohl immer schon gegeben. Insofern könnte auch jene »Querelle«, die uns zurück ins 17. Jahrhundert führt und nach Paris, an die Académie Royale de Peinture et de Sculpture, in die Geschichte der üblichen Positionskämpfe eingereiht werden, wäre da nicht die besondere theoretische Grundlage, auf der dieser Kampf ausgetragen wurde, seine Valenz als Medientheorie der Malerei. Freilich beschränkte sich die »Querelle« nicht auf die Bildende Kunst oder gar die Malerei, sondern betraf in gleicher Weise Literatur und andere Künste.
Was die »Querelle« im Bereich der Malerei betrifft, so kann man sie unmittelbar in Zusammenhang mit der eigentlichen Gründung der »Académie« sehen. Die Académie Royale de Peinture et de Sculpture wurde zwar im Jahre 1648 gegründet, aber als Institution erst durch Colberts Eingriffe 1664 wirklich lebensfähig. Colberts Interesse an der Akademie war stark von der Absicht getragen, die Kunst über die Kunstausbildung enger in das zentralistisch organisierte Staatswesen einzubeziehen. Dazu benötigte man zunächst eine allgemein verbindliche, d.h. auf Vernunft gegründete Theorie der darstellenden Künste, um sodann bindend – wie man hoffte – angeben zu können, welche Regeln und Gesetze, neben den Erfordernissen der

Technik, zu beachten und einzuhalten seien, damit gute, d.h. »wahre« Kunst entstünde.
Es waren die an die Akademie berufenen Künstler, denen u.a. die Aufgabe zufiel, eine solche Theorie in den einmal im Monat anberaumten Akademiesitzungen auszuarbeiten. Und in diesen Sitzungen kam es dann zum Streit. Den Ausgangspunkt für die Diskussionen bildete die Frage, wie Malerei ihrem Wesen nach zu bestimmen sei; man einigte sich rasch, daß hierfür drei Elemente ausschlaggebend sind: Die Zeichnung (dessin), die Farbigkeit (coloris) und die Komposition (composition). Der Streit entzündete sich dann an der Reihenfolge bzw. der Rangordnung dieser Elemente, konkret daran, ob der Zeichnung oder der Farbigkeit neben der Komposition der erste Rang gebühre. Eine nur scheinbar akademische Frage – wie wir heute, akademisch negativ beurteilend, sagen müssen. Denn mit der Diskussion um die Rangfolge von Farbigkeit oder Zeichnung stand die Malerei selbst als Medium zur Diskussion, kam es zur ersten, medientheoretischen Auseinandersetzung der Kunstgeschichte.
Für die Verfechter der Zeichnung, als dem primären Gestaltungsmittel der Malerei, bestimmt die durch die Zeichnung gewonnene Form eines Gegenstands das Bild; die durch Zeichnung gewonnene Form stelle das Essentielle dar, das Wesentliche, wohingegen die Farbe, akzidentell, lediglich Hinzugegebenes biete. Folglich ziele die Zeichnung auf die Idee des Gegenständlichen, seine kategoriale Existenz, die unabhängig sei vom Wechsel des Lichts und anderen Zufälligkeiten, sie gebe den inneren Bestand, nicht den äußeren Schein der Dinge wieder: »Die Farbe gefällt dem Auge, die Zeichnung dem Geist« (Lebrun).

Dagegen argumentieren die Verfechter der Farbe, daß die Farbigkeit nicht nur nichts Akzidentelles, sondern vielmehr die eigentlich spirituelle Macht des Bildes darstelle; sie allererst hauche toten Formen Leben und Geist ein. Vermöge der Farbe zeigten sich Gegenstände in ihrem Zusammenhang, in ihrer Wirkung aufeinander, d.h. aktuell als Sichtbarkeitsausdruck und damit lebendig. Während die Zeichnung die Gegenstände isoliere, unabhängig von ihrer augenblicklichen Gesehenheit darbiete, zeige die Farbigkeit die Dinge erscheinungshaft, so wie sie sich dem Betrachter darböten, ihn selbst einbeziehend.
Dem demonstrativen Aspekt der Zeichnung steht so der kommunikative Aspekt der Farbigkeit gegenüber und damit der idealistischen Auffassung von Malerei eine naturalistische. Daß hierbei die idealistische Seite, also die Befürworter der Zeichnung zugleich die »Anciens« stellten, wohingegen die Befürworter der Farbe, die Naturalisten, zugleich die »Modernes« abgaben, mag am Rande erwähnt sein und auch der Grund für diese Etikettierung: Da es den Verfechtern der Zeichnung darum ging, aus dem jeweiligen Gegenstandsangebot die ideale Form herauszudestillieren, das Erfinden von jeweils idealen Formen aber ein schwieriges Unterfangen darstellt, benötigte man gleichsam einen ›Fundus‹ von idealen Formfindungen und fand diesen unschwer in den Modellformen der Antike. Es ist aber das strikte Festhalten an der Vorbildlichkeit der Antike, was die Befürworter der Zeichnung zu »Anciens« werden ließ, im Gegensatz zu den Befürwortern der Farbe, die zu »Modernes« aufstiegen, da sie Vernunft und Natur als die leitenden Orientierungsmarken vorschlugen.

Doch zurück zur eigentlichen Streitstruktur. Als wesentlich gilt festzuhalten, daß – mit dem Streit um Linie und Farbe als dem primären Gestaltungsmittel – zwei Richtungen im Hinblick auf die medialen Bedingungen der Malerei ausformuliert wurden, die sich bis zum 19. Jahrhundert auf die ein oder andere Weise verbanden bzw. ergänzten, um dann im 19. Jahrhundert unmittelbar, unvermittelbar und unversöhnlich gegeneinander zu treten: Aus den miteinander diskutierenden »Poussinisten« und »Rubenisten« des 17. Jahrhunderts entwickelten sich die auch von persönlicher Feindschaft gekennzeichneten polaren Positionen von Ingres und Delacroix.

Nun galt Delacroix, als ein Verfechter der Farbe, nicht nur den Impressionisten als ihr Ahnherr, sondern es suchten auch jene Maler, die den Impressionismus zu erneuern bzw. zu überwinden trachteten, sei es nun Gauguin oder van Gogh, Seurat oder Cézanne, diese Erneuerung durch das erneute Anknüpfen an Delacroix zu erreichen, d. h. durch den Rückgriff auf den Ausgangspunkt jener Malerei, die man zu überwinden sich anschickte. Van Gogh schreibt an seinen Bruder begeistert über Delacroix, und ganze Passagen von Gauguins berühmtem Brief an Schuffenecker aus Kopenhagen rufen Delacroixsche Maximen in Erinnerung. Und vielleicht ist es auch kein Zufall, daß jenes Bild, mit dem Gauguin die Überwindung des Impressionismus gelang, die »Vision nach der Predigt oder Jakobs Kampf mit dem Engel« das gleiche, ungewöhnliche Thema besitzt, das Delacroix zum Vorwurf für eines seiner spätesten Gemälde wählte.

Dabei gehörte Gauguin eigentlich fest zur Fraktion der Delacroix-Gegner, also zur Fraktion von Jean Auguste

Dominique Ingres, sah er doch nicht nur die Farbe als zentral, sondern zugleich die Zeichnung als elementar für seine Bildkonzeption an. Letzteres auch und vor allem im Hinblick auf die deutlich idealisierenden Tendenzen der ›Dessin-Anhänger‹. So rät Gauguin z. B. in einem Brief an Schuffenecker vom 14. 8. 1888: »Malen Sie nicht zuviel nach der Natur. Das Kunstwerk ist eine Abstraktion. Ziehen Sie es aus der Natur heraus, indem Sie vor ihr nachsinnen und träumen«. Und in einem weiteren Brief an Schuffenecker vom 8. 10. 1888 heißt es: »Ich habe ein Portrait von mir gemacht... Ich halte es für eines meiner besten Bilder. Völlig unverständlich, so abstrakt ist es...«, und etwas weiter: »Hierbei ist die Zeichnung ganz eigentümlich, nämlich völlig abstrakt«.[29]

Abstraktion scheint demnach für Gauguin in seiner Entwicklung zum eigenen Konzept entscheidend, und in diesem Zusammenhang taucht die »Zeichnung« auf. Tatsächlich gibt es eine ideelle Nähe von Zeichnung und Abstraktion, gehört auch die Verbindung von Zeichnung und Abstraktion nicht nur ergänzend zum Argumentationsspektrum der Poussinisten oder Ingristen, sondern zu deren zentralen Aussagen. So sei es unumgänglich, um am Dinglichen das Bleibende, Wesenhafte zur Geltung zu bringen, eine spezielle Form zu erfinden, die, von den mannigfaltigen Erscheinungsweisen des Dinglichen unberührt, eine Quintessenz des Dinglichen darstelle und folglich nur durch Abstraktion von der konkreten Erscheinung des Dinglichen erreicht werden könne. Für die vom Konkreten zu abstrahierende und damit ideale Form des Gegenständlichen bietet aber die Linie die adäquate Darstellungsmöglichkeit. Denn – wie Cézanne bemerkt – die

Natur kennt keine Linien, zumindest keine Grenzlinien. Die Gegenstände der Natur weisen nur gewölbte Flächen auf, die ineinander übergehen, weshalb jedwede Grenz- oder Konturlinie von vornherein eine »Abstraktion« vom Vorgegebenen darstelle: Linien sind die materiellen Spuren eines Abstraktions- oder Idealisierungsprozesses am Gegenständlichen.
Folglich bestimmt sich die Konturlinie als eine imaginierte, die konkrete Erscheinung des Gegenstands überbietende Setzung, im Ergebnis als eine (feste) Formsetzung, die aus dem natürlichen Bestand des Gegenständlichen qua Idee herausdestilliert wurde. Gerade auf dieser Vorstellung fester Formsetzungen gründet aber auch die traditionelle Verbindung jener Malerei unter dem Primat der Zeichnung zum Medium Skulptur. Denn da die Umrißlinie den Gegenstand durch Abschließung einer Form festlegt, isoliert sie ihn als ›Gegebenen‹ in der gleichen Art, wie die Skulptur ihre Hervorbringungen durch den materiellen Abschluß vom Umgebenden trennt. Folglich muß die Bevorzugung der Konturzeichnung innerhalb der Malerei immer auch als ein Hinweis auf die Valenz eines ›plastischen Sehens‹ verstanden werden, d. h. eines distinguierenden Formsehens. Daß Gauguin dieses plastische Sehen in hohem Maße zu eigen war, bezeugen nicht nur seine Bilder, sondern bezeugt auch die Tatsache, daß er – wie Degas – selbst plastisch tätig war.
Jedenfalls suchte Gauguin jener durch Delacroix ausgelösten und im Impressionismus sich zeigenden Verflüssigung des primär koloristischen Bildes durch die Einbeziehung des primären Stilmittels seines Widerparts, also durch Ingres' abstrahierende Konturwerte, entgegenzuwirken, das Bild zu festigen, dauerhaft zu

machen. Damit versuchte er am Ende des Jahrhunderts zu einem Neuanfang zu gelangen durch eine Synthetisierung der vermeintlich unüberwindlichen Gegensätze vom Anfang des Jahrhunderts.
Daß er sich in diesem Ansatz kaum mit Vincent van Gogh wird verständigt haben können, liegt auf der Hand. Denn nicht die Abstraktion von der Natur, sondern das Sich-in-sie-Hineinversetzen schwebte Vincent van Gogh als Lösung für die Probleme des Impressionismus vor. Vincent benötigte das »Motiv« vor ihm als Leitwert und Richtschnur, um nicht »verrückte Dinge zu machen, um vernünftig zu bleiben«. Zwar hat er dann – unter dem Einfluß Gauguins in Arles im November 1888 – das Abstrahieren versucht und schätzen gelernt, wie aus dem Brief an seinen Bruder Theo vom November 1888 hervorgeht: »Bilder nach dem Gedächtnis sind immer weniger unbeholfen und viel künstlerischer als Studien nach der Natur«;[30] aber dies war dann letztlich doch kein Weg für ihn: »Als Gauguin in Arles war«, so schreibt er Anfang Dezember 1889 an Bernard, »ließ ich mich ein- oder zweimal zur Abstraktion hinreißen...; damals schien mir die Abstraktion einen reizvollen Weg zu öffnen. Aber sie ist verzaubertes Land, lieber Freund, und schnell steht man vor einer Mauer.« Und schärfer: »Ich sage nicht, daß man nach einem mannhaften langen Suchen und einem Brust-an-Brust-Kampf mit der Natur es [das Abstrahieren] nicht wagen sollte; aber ich möchte mir (jetzt) darüber nicht den Kopf zerbrechen. Das ganze Jahr lang habe ich mich mit der Natur herumgeschlagen und kaum an Impressionismus oder sonst etwas gedacht. Dennoch ließ ich mich noch einmal gehen und griff nach den Sternen, die zu hoch für mich sind; ein

neuer Fehlschlag – jetzt habe ich genug davon. So male ich augenblicklich Olivenbäume, suche verschiedenartige Wirkungen eines grauen Himmels gegen gelbe Erde mit grün-schwarzem Ton der Blätter ... Das interessiert mich mehr als die oben erwähnten Abstraktionen.«[31]

Der Brust-an-Brust-Kampf mit der Natur, die harte Auseinandersetzung, das war der Weg, den sich Vincent van Gogh vornahm, der wirklich zählte. Der Weg der Abstraktion hingegen erschien ihm, jedenfalls nachdem Gauguin aus Arles abgereist war, zunehmend als Sackgasse. Und er war dies wirklich für van Gogh, wie jene Bilder, die er aus dem Kopf malte, deutlich machen können. Nicht so für Gauguin. Zwar war die Abstraktion für Gauguin kein Königsweg, jedoch einer, der gangbar war, auch wenn er durch eine Furt führte, an der er dann um seine Kunst kämpfen mußte, auf Sein oder Nicht-Sein als Künstler, eben der Weg zur »Vision nach der Predigt oder Jakobs Kampf mit dem Engel«.

# Vision der »Vision«

»Fern, sehr fern auf einem sagenhaften Hügel, dessen Boden zinnoberrot zu schimmern scheint, ereignet sich der biblische Kampf Jakobs mit dem Engel. Während diese beiden Riesen der Legende, die durch die Entfernung zu Pygmäen werden, ihren Kampf austragen, schauen Frauen interessiert und naiv zu, zweifellos ohne recht zu verstehen, was sich dort auf dem purpurn gefärbten fabelhaften Hügel ereignet. Sie sind Bäuerinnen. An der Spannweite ihrer weißen, wie die Flügel der Seemöwe ausgebreiteten Hauben, an der typischen Buntheit ihrer Halstücher und an den Formen ihrer Kleider und Mieder erkennt man, daß sie aus der Bretagne stammen. Sie haben eine respektvolle Haltung und die aufgerissenen Augen von einfältigen Geschöpfen, die außergewöhnlichen, ein wenig phantastischen Geschichten zuhören, die von einem keinen Widerspruch duldenden Erzähler vorgebracht werden. Man könnte meinen, sie seien in einer Kirche, so stumm ist ihre Aufmerksamkeit, so gesammelt, in sich gekehrt, andächtig ihre Haltung. Man könnte meinen, sie seien in einer Kirche und ein zarter Duft von Weihrauch und Gebet steige zwischen den weißen Flügeln ihrer Hauben auf und die verehrte Stimme eines alten Priesters schwebe über ihren Köpfen... Ja, zweifellos in einer Kirche, in irgendeiner ärmlichen Kirche irgendeines ärmlichen bretonischen Dorfes... Aber wo sind die schimmeligen, grünspanigen Pfeiler? Wo sind die milchigen Mauern mit den farbigen Bildchen des Kreuzwegs? Wo die Kanzel aus Tannenholz? Wo der alte Pfarrer, der predigt und dessen murmelnde Stimme man – ganz gewiß – hört? Wo ist das alles? Und weshalb dort unten, fern, sehr fern, das Auftauchen dieses sagenhaften Hügels, dessen Boden zinnoberrot zu schimmern scheint?...

Ah! Die schimmeligen und grünspanigen Pfeiler und die milchigen Mauern und die farbigen Bildchen des Kreuzwegs und die Kanzel aus Tannenholz und der alte Pfarrer, der predigt, haben sich seit etlichen Minuten aufgelöst und existieren nur noch für die Augen und die Seelen der guten bretonischen Bäuerinnen!... Welch einen wundersamen, ergreifenden Ton, welche einleuchtende Tonfolge hat dieser stotternde Dorfprediger getroffen, um Zugang zu den groben Ohren seiner schwerfälligen Zuhörerschaft zu finden?

Alle vorhandenen Stofflichkeiten haben sich in Rauch aufgelöst, sind verschwunden: Er selbst, der sie heraufbeschwor, hat sich verflüchtigt und nun ist es seine Stimme, seine kleine, arme, erbärmlich stammelnde Stimme, die sichtbar geworden ist, unabweislich sichtbar und es ist diese seine Stimme, der diese Bäuerinnen mit ihren weißen Hauben mit naiver und andächtiger Aufmerksamkeit zuhören, und es ist seine Stimme, diese dörfliche phantastische Vision, die dort drüben fern, sehr fern aufgetaucht ist, seine Stimme, dieser sagenhafte Hügel, dessen Boden von zinnoberroter Färbung ist, dieses Land kindlicher Träume, in dem die beiden biblischen Riesen, durch die Entfernung zu Pygmäen geworden, ihren schweren und furchtbaren Kampf austragen!...«[32]

In dieser Weise, mitgerissen, beschreibt Albert Aurier Gauguins Gemälde in einem Essay, der zugleich die Geburtsstunde der symbolistischen Malerei annonciert, einer Malerei, die – Aurier zufolge – »absolutes Sein« darzustellen sucht. Aurier, Schriftsteller und Kunstkritiker, der sich zuvor mit einem Artikel bereits für Vincent van Gogh eingesetzt hatte, feiert in seinem »Der Symbolismus in der Malerei. Paul Gauguin« überschriebenen Aufsatz vom März 1891 Gauguin als den Begründer einer neuen Richtung innerhalb der Malerei, die er sorgfältig von der impressionistischen und realistischen, aber auch von der idealistischen Malerei scheidet. Mögen die verwendeten Formen und Kriterien, die Art der Gedankenführung selbst auch recht eigenwillig anmuten, im Prinzip nimmt Aurier – wieder einmal und wieder neu – die Argumentationsstränge der französischen Dauerdiskussion auf, die – in der »Querelle« des 17. Jahrhunderts ausgelöst – im 19. Jahrhundert vielleicht in Baudelaire ihren profiliertesten Diskutanten fand.

Nicht nur ähnlich wie Baudelaire, sondern sich direkt an Baudelaire orientierend – den er in seinem Essay auch zitiert – relativiert Aurier zunächst den Gegensatz zwischen einer traditionell-idealistischen und einer modern-realistischen Malerei, faßt er sie beide als unzureichend zusammen, um dann – wie Baudelaire, freilich mit anderen Mitteln und unterschiedlicher Begründung – eine weitere, neue Strömung als die eigentlich tragfähige auszuweisen. Für dies Neue stand bei Baudelaire Delacroix (gegen Ingres und Courbet), nämlich für Supranaturalismus; bei Aurier steht dann Gauguin (gegen Akademisten und Realisten, zu denen er auch die Impressionisten zählt) für das Neue, nämlich den Symbolismus (oder Synthetismus oder Ideismus). Zitiert Baudelaire Heine, um seinen Supra-Naturalismus zu erklären: »ich glaube, daß der Künstler nicht alle seine Figuren in der Natur auffinden kann, sondern daß ihm die bedeutendsten Typen als eingeborene Symbolik eingeborener Ideen, gleichsam in der Seele geoffenbart werden«,[33] so bemüht Aurier Swedenborg: »In selbiger Nacht waren meine inneren Augen geöffnet; sie zeigten sich befähigt in den Himmel zu sehen, in die Welt der Ideen und in die Hölle«,[34] um die »sehende Seele« zu erläutern und ihre Funktion für die Möglichkeit einer ideistischen oder symbolistischen Malerei.

Damit geht es beiden um eine Malerei, die nicht nur abbildet, was konkret gegenständlich vorgegeben ist, sondern herausbildet, was Gegenständlichem wesenhaft als Idee eingegeben ist. Sind für Baudelaire Ingres und Courbet Anti-Supra-Naturalisten, insofern beiden jenes »oberste unserer Vermögen«, die »Einbildungskraft«[35] ermangele, weshalb sie lediglich nachahmten – Ingres die Idealität Raffaels, Courbet die Realität der Natur, so zählt Aurier unter die »Anti-Ideisten« nicht nur die Realisten und Impressionisten, sondern auch die »Idealisten«. Auch diese wären »meistens, was auch immer sie selbst vorgeben mögen, nur Realisten: Das Ziel ihrer Kunst war allein die genaue Wiedergabe materieller Formen; sie haben sich damit zufriedengegeben, die Wirklichkeit zu arrangieren, indem sie gewissen, allgemein gültigen Vorstellungen von der Dingbeschaffenheit folgten; sie haben den Anspruch erhoben, uns schöne Objekte vorzuführen, aber schön in ihrer Eigenschaft als Gegenstände, so daß sich ihr Interesse immer und immer noch auf die Beschaffenheit der Form beschränkt, d. h. auf die Realität; was sie ideal nannten, war niemals etwas anderes als eine durchtriebene Maskerade der gemeinen Gegenständlichkeit«.[36]

Auriers Unterscheidung der ideistischen Malerei von einer idealistischen Malerei ist ein wesentlicher Schritt auf dem Weg zur argumentativ betriebenen Etablierung der neuen Malerei Paul Gauguins. Einen anderen, nicht weniger wichtigen Schritt stellt aber auch die Abgrenzung dieser ideistischen Malerei von der impressionistischen dar, die in vergleichbarer Weise erfolgt. So bedeute z. B. die Tatsache, daß die Impressionisten – im Unterschied zu den Akademisten – nicht nach Vorbildern arbeiteten, also niemanden kopierten, nicht zugleich schon, daß sie gar nicht »kopierten«. Denn auch der Impressionist »ahme die materielle Welt nach, vielleicht nicht mehr ihre wirkliche Form und ihre wirkliche Farbigkeit, aber doch ihre wahrgenommene Form, ihre wahrgenommene Farbigkeit... Pissarro und Claude Monet übersetzen sicherlich die Formen und die Farben in einer anderen Weise als Courbet, aber im Grunde wie Courbet; und stärker noch als Courbet übersetzen sie nichts anderes als die Form und die Farbe. Das Substrat und letztliche Ziel ihrer Kunst ist die Darstellung der Materialität, der konkreten Gegenständlichkeit«.[37]

Aurier begnügt sich aber nicht mit der Klärung einer ideistischen Malerei durch die Abgrenzung von der idealistischen, der realistischen bzw. impressionistischen Malerei, d. h. mit ihrer Bestimmung ex negativo, sondern er sucht sie zugleich aus sich heraus zu definieren, entwirft gleichsam ein Manifest der ideistischen Malerei. Hierzu liefert Gauguins »Vision nach der Predigt oder Jakobs Kampf mit dem Engel« zwar die Grundlage, auf die Aurier aber bei der Formulierung der ästhetischen Grundsätze ideistischer Malerei nicht mehr zurückkommt. Die Evokation des Gemäldes steht am Anfang des Essays, gleichsam eine Beschwörung der neuen Kunst, paradigmatisch, über die dann systematisch gehandelt wird, während das Paradigma selbst nicht mehr zu Wort kommt. Ein Entwurf, der Aurier wieder mit Baudelaire in Verbindung bringt, für den »die Malerei... eine Beschwörung (ist), eine magische Handlung (könnten wir doch die Seele der Kinder darüber befragen!), und wenn die beschworene Person, wenn die heraufgerufene Idee sich erhoben und uns angeblickt haben von Angesicht zu Angesicht, dann haben wir nicht das Recht – zumindest wäre dies der Gipfel der Albernheit –, uns in wohlweisen Erörterungen über die Beschwörungsformeln des Hexenmeisters zu ergehen«.[38]

Albern oder nicht, sich mit den Beschwörungsformeln des Hexenmeisters Gauguin auseinanderzusetzen, zu fragen, mit welchen Mitteln und auf welchem Wege, vor allem welche »Ideen« er zur Geltung bringt, dies gehört zum Geschäft des Kunsthistorikers und verlangt zunächst eine erneute Durchsicht des Gemäldes, eine Revision der »Vision nach der Predigt oder Jakobs Kampf mit dem Engel«.

## Revision der »Vision«

Versucht man, die Beschreibung Auriers konkret nachzuvollziehen, stößt man auf nicht geringe Schwierigkeiten: »Fern, sehr fern, auf einem sagenhaften Hügel, der zinnoberrot zu schimmern scheint«, soll sich das Kampfgeschehen ereignen. Tatsächlich aber kann man von einer topographischen Situation in Gauguins Bild kaum sprechen, weder von Nähe und Ferne, noch von Bodenbewegungen. Ein Hügel wird weder durch die Farbe noch durch die Form ausgewiesen; zinnoberrot, wenn auch nicht monochrom, überspannt eine rote Fläche das gesamte Bildfeld, der geheimnisvolle Grund für alle Figuration im Bild, seien es nun die Bäuerinnen, der Baum oder die Kuh.
Fern mag vielleicht die Kampfgruppe erscheinen, aber nicht, weil wir die Entfernung messen, sondern gerade weil wir sie nicht ermessen können; fern scheint die Gruppe, weil sie ungreifbar und nicht verortbar erscheint, während von der Größe her – und nur von der Größe her könnte man ja hier eine räumliche Zuordnung versuchen – die kämpfenden Figuren, Aurier spricht hier von Pygmäen, kaum weiter entfernt sein dürften als die Bäuerinnen des Hintergrunds. Was die Besonderheit der Gruppe der Kämpfenden ausmacht, resultiert aus dem Zusammenfall von Nähe und Ferne, bedingt durch ihre klargelegte, der Ansicht freigegebene Position in der Fläche einerseits und ihre Abtrennung durch die Barriere des Baumes andererseits. Eigentlich müßten die Kämpfenden nah erscheinen, da sie nicht hinter dem Baum, sondern über dem

**13 Vision nach der Predigt, Ausschnitt**

Baum geortet werden, d.h. auch über den Bäuerinnen; gleichwohl verhindert der Baum eine Annäherung, da er zumindest in der Fläche eine Barriere bildet und so die Kämpfenden von den Bäuerinnen entfernt. Allerdings bleibt diese Barriere nicht fixiert, zeigt sich – und das wäre nachfolgend zu erläutern – eine sich wandelnde Bestimmung der Grenze als trennend und verbindend.

Zunächst sieht man jedoch die Bäuerinnen durch die Barriere des Baumes vom Kampfgeschehen getrennt, auf das sie sich gleichwohl motivisch beziehen. Daß sie aber – wie Aurier meint – dem Kampf »interessiert« und »naiv«, »mit aufgerissenen Augen« zuschauen, muß eher bezweifelt werden. Denn bis auf die Bäuerin im verlorenen Profil schaut keine der Frauen dem Geschehen wirklich zu; vielleicht noch die beiden Rückenfiguren im Vordergrund, von denen man aber nicht sagen kann, wie sie schauen, ebensowenig wie man sa-

14 Vision nach der Predigt, Ausschnitt

gen kann, daß sie eine »respektvolle« oder »andächtige« Haltung angenommen hätten. Zwar scheinen die vom linken Bildrand überschnittene und die im Mittelgrund folgenden Bäuerinnen zu beten, doch gesammelt und mit Andacht nur die im Vordergrund.

Tatsächlich zeigen sich die Frauen in den einzelnen Gruppen ganz unterschiedlich charakterisiert. Die drei oder vier ganz im Hintergrund etwa sitzen nebeneinander (Abb. 13), die Hände gelöst in den Schoß gelegt, entspannt; die drei folgenden im Mittelgrund (Abb. 14) dagegen sind betend dargestellt, aber unkonzentriert: Ihre Köpfe sind teils gesenkt, teils nach vorn auf den Betrachter gerichtet, dadurch nicht koordiniert, nicht auf ein bestimmtes, gemeinsames Anliegen oder Ziel ausgerichtet. Erst die Betende im Vordergrund links besitzt Zielgerichtetheit, ein ›inneres Bild‹, auf das hin sie sich betend bezieht. Während dann die übrigen Frauen des Vordergrundes schauen, aber

15 Vision nach der Predigt, Ausschnitt

unterschiedlich und wohl auch Unterschiedliches erschauen.

Folglich agieren die Bäuerinnen im Hintergrund, als befänden sie sich auf einem grünen Boden; sie sitzen in der Runde und schauen dem dörflichen Leben, angedeutet vor allem durch die Kuh, in entspannter Haltung zu; die Frauen des Mittelgrundes dagegen knien, teilweise bildauswärts gekehrt und scheinen zu beten, aber habituell, oberflächlich und ohne festes inneres Bild. Das erst besitzt die vom Bildrand überschnittene, in sich gekehrt betende Bäuerin links (Abb. 15). Gegen diese, nach innen sehend, introvertiert, setzt sich dann die extrovertierte, bewußt nach außen sehende und auf dieses nach Außen-hin-Sehen festgelegte Frau neben ihr ab (Abb. 15); es folgen die beiden hintereinander gestaffelten Rückenfiguren (Abb. 16), die erhobenen Kopfes schauen, die – wenn man so will – ganz

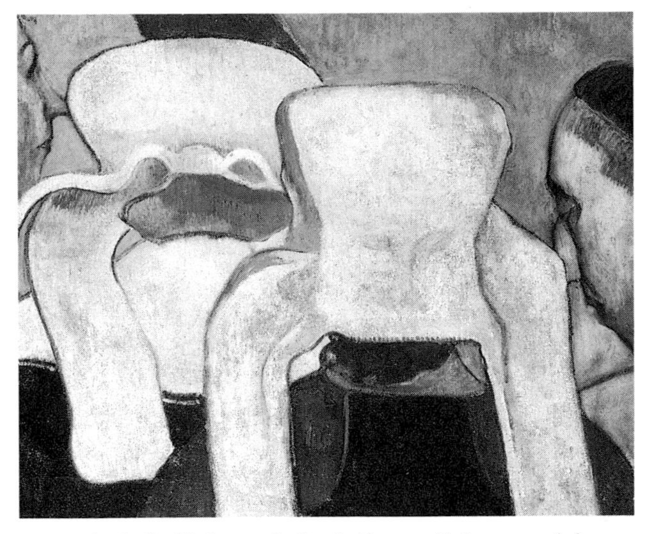

16 Vision nach der Predigt, Ausschnitt

Blick sind, freilich so, daß wir ihrem Schauen nicht zusehen können. Doch sehen wir den Veranlasser dieses Bild- und Sehprozesses, den Geistlichen, am rechten Bildrand (Abb. 16), der mit geschlossenen Augen und gesenktem Kopf die in sich gekehrte, mit geschlossenen Augen betende Bäuerin am linken Bildrand symmetrisch ergänzt.
Im Mittel- und Hintergrund finden wir somit eher allsonntägliche Szenen. Man sitzt auf der Dorfwiese oder kniet in der Kirche. Alles scheint normal und vertraut. Doch dann kommt es zum Bruch, ereignet sich das Ungewöhnliche im Prozeß der Vordergrundszene: Das Nachsinnen über das Wort des Priesters schlägt um in eine Vergegenständlichung des erzählten Kampfgeschehens, führt zur Vision des Kampfes (Abb. 17). Entsprechend treffen wir in Gauguins Bild auf zwei gegensätzliche Darstellungen, die genrehafte der Bäuerinnen

17 **Vision nach der Predigt, Ausschnitt**

auf der einen und die ereignishafte des Kampfes auf der anderen Seite, getrennt durch den Baum. Aber die Trennung ist nicht endgültig, die Gegensätze bleiben nicht bestehen, sondern zeigen sich im Bilde auch vermittelt, nämlich in einen bildlichen Prozeß hineingestellt, der die Barriere des Baumes überspringt und so Genremäßiges und Ereignishaftes miteinander verknüpft.
Dieser die Grenze überspringende Bildprozeß findet sich exemplarisch erläutert am Grenzmotiv selbst, am diagonal das Bildfeld teilenden Baum: Zum einen trennt er zwischen links unten und rechts oben, zwischen den Bäuerinnen und dem Kampfgeschehen. Zum anderen trennt er nicht endgültig, sondern verliert die trennende Funktion zunehmend im Verlauf von oben nach unten: Bildet der Baum im oberen Bereich mit Laub und Astwerk ein kompaktes Bollwerk, das den rechten Bildbereich abgrenzt, so reduziert sich

anschließend die Grenzfunktion auf das schmale Band des Stammes, das schließlich von den Rückenfiguren überschnitten bzw. überschritten wird. Im oberen Bereich überschneidet der Baum die Figuren, setzt er sich gegen sie durch, im unteren Bereich wird er von den Figuren überschnitten, setzen sie sich gegen ihn durch und damit in ein direktes Verhältnis zu den Kämpfenden. Die Teilungen, die der Baum setzt, die Grenzen, die zwischen Genre und Ereignis gelegt werden, sind offenbar nicht eindeutig bestimmt, sondern nehmen an Bildprozessen teil, können sich verändern, und – damit verbunden – neue Bedeutungszusammenhänge optisch zur Geltung bringen.

Infolgedessen haben wir bei Gauguins Kampfbild nicht nur das konkret Abgebildete, das ›wörtlich‹ Wiedergegebene ins Auge zu fassen, sondern auch und vor allem den Bildprozeß, der Abgebildetes neu formiert, in anderem Licht erscheinen läßt und dabei neue, übertragene Sinnzusammenhänge zur Sprache zu bringen vermag. Es ist die Unendgültigkeit der im Bilde erscheinenden Figuren und Motive, welche unmittelbar auf diesen Prozeß verweist und damit zugleich ein neues Bildsehen fordert, das – parallel zum Prozeß des Bildlichen – als ein prozessuales Sehen bestimmt ist, ›Einsehen‹ anstelle des Wiedererkennens verlangt. Verlangt wird solcherart eine Leistung des Auges, die den Betrachter als Erkennenden, d. h. aktiv am Bild Beteiligten bestimmt, im Unterschied zu seiner traditionellen Rolle als Wiedererkennendem, der das im Bild Vorgegebene lediglich nachvollzieht. Dieser Wechsel der Seheinstellung konkretisiert sich in den unterschiedlich sehenden Bäuerinnen, so daß wir im Bild der »Vision nach der Predigt oder Jakobs Kampf mit dem Engel«

nicht nur eine Vision sehen, sondern zugleich Sehen als Vision, als ›einsehendes Sehen‹ kennenlernen. D.h. wir lernen im Prozeß der Bildentwicklung jenes Sehen kennen, das notwendig ist, um Gegenstände und ihre Form nicht allein um ihrer selbst willen wahrzunehmen, sondern zugleich als Hinweise für die Wahrnehmung einer wesenhaften Gesamtschau.

Damit aber Gegenständliches im Bild solcherart als unendgültig (d.h. eben auch als Zeichen oder Symbol) wahrgenommen, einsehendes Sehen provoziert werden konnte, waren gestalterische Maßnahmen vonnöten, die radikal in den vermeintlich sicheren Bestand der Dingerscheinung eingriffen und dabei alle das eine Ziel hatten, jene seit der Renaissance vorherrschende Vorstellung von Malerei als augentäuschender Wiedergabe von Wirklichkeit zu brechen. Entsprechend mußte diese neue Malerei – um Aurier zu paraphrasieren – unräumlich sein, abstrahierend, sie mußte vereinfachen, Details unterdrücken, mußte auswählen und verallgemeinern, mußte, wo nötig, deformieren und womöglich übertreiben; dies alles diente einer Malerei, die deutlich zu machen wünscht, daß Gegenstandsformen nicht um ihrer selbst willen gemeint sind, sondern als »Buchstaben in einem unermeßlichen, grenzenlosen Alphabet, welches nur der geniale Mensch zu buchstabieren versteht«[39].

Vereinfachung, Reduktion der Details, teilweise auch Deformation oder Übertreibung, jedenfalls der deutliche Verzicht auf eine räumlich zu lesende Einheit, der Verzicht auf die Imitatio der dinglichen Welt und ihrer Zufälligkeiten, diese Elemente einer neuen Malerei lassen sich sehr gut an den Bäuerinnen der Vision festmachen, gerade auch wenn man sie kontrastierend mit

18 Tanz der vier bretonischen Bäuerinnen, um 1886

ihren Schwestern aus dem stärker impressionistisch orientierten »Tanz der vier bretonischen Bäuerinnen« (Abb. 18) vergleicht. Zunächst fällt die szenisch und räumlich vergleichsweise kohärente Erscheinung dieses um 1886 entstandenen Gemäldes ins Auge. Auch wenn im sog. ›Tanz der bretonischen Bäuerinnen‹ kein Tanz dargestellt ist, sondern ein zufälliges Zusammentreffen, stimmen die Bäuerinnen doch zu einer unmittelbar überzeugenden, situativen Einheit zusammen: Um eine Art Mauer gruppiert, also örtlich gemeinsam fixiert, verdeutlichen sie Verhaltensweisen, die über das Sprechen (linke Profilfigur), Zuhören (Rückenfigur), Zuwenden (Profilfigur rechts hinten) und Den-Schuh-Richten, aber gleichzeitig Hören (Vordergrundfigur), d.h. durch situationale Gemeinsamkeit auch eine zeitlich gemeinsame Fixierung ermöglichen: Der Betrachter wird Zeuge eines momentanen Tuns, einer beiläufig sich ergebenden Unterhaltung von vier Frauen, deren Inhalt ihm freilich verborgen bleibt.

Eine solch einheitliche Sicht kann aber der »Vision nach der Predigt« nicht abgewonnen werden. Hier ist weder ein bestimmter Ort noch ein bestimmbarer Moment gegeben, können wir auch die Figurengruppen nicht ohne weiteres zusammenbringen. Denn die weiblichen Vordergrundfiguren sehen wir aufsichtig, die Kampfszene dagegen ansichtig. D. h. Aufsicht und Ansicht haben sich getrennt, sind gegeneinander bzw. übereinander getreten und solchermaßen unterschiedlich im Bilde vereint.[40]

Aber nicht nur Kampf- und weibliche Figurengruppen fallen auseinander, auch die Formationen der Bäuerinnen selbst fordern unterschiedliche Sichtweisen. So liegt der Augenpunkt der hinteren Frauengruppe hoch, während er bei der Gruppe im Mittelgrund niedrig liegt. Die ehemals verbindliche Erscheinungstotalität des Gegenständlichen ist zerbrochen, in einzelne Bereiche auseinandergetreten, die erst prozessual und unter Wandlung der ursprünglichen Bedeutungswertigkeiten zu einer neuen, dann rein bildlich verantworteten Sinneinheit zusammenfinden können. Die Annullierung eines einheitlichen Augenpunkts und damit einer einheitlichen Sichtweise muß aber als ein erster wesentlicher Schritt verstanden werden, um Malerei von ihrer traditionell bestimmenden Illusion, sie gebe Wirklichkeit konkret wieder, zu befreien.

Und die Befreiung erfolgt als Prozeß: Am Gegenständlichen selbst wird gezeigt, wie sich die traditionelle Auffassung von Malerei als konkret abbildend erschöpft,

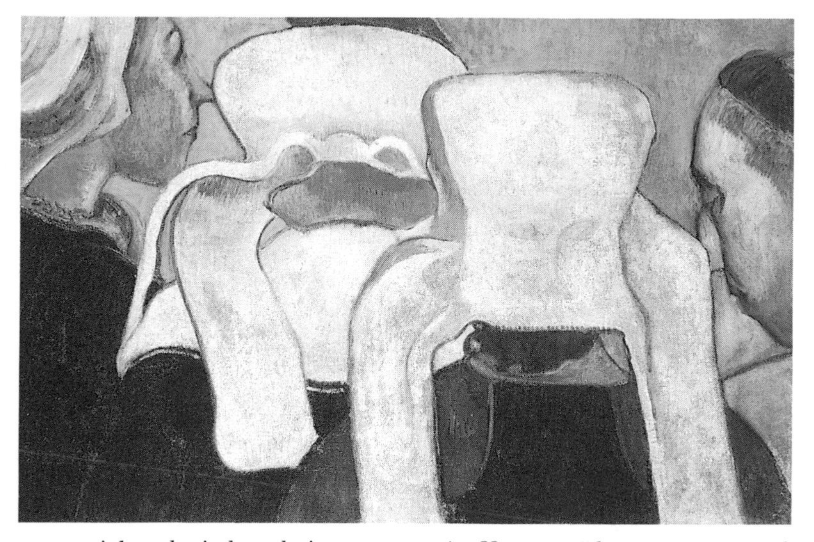

19 **Vision nach der Predigt, Ausschnitt**

unzureichend wird und einer neuen Auffassung Platz macht, derzufolge Abgebildetes nicht mehr sich selbst meint, sondern zur Formchiffre wird für wesenhafte Anschauung. Dabei erweisen sich Reduktion und Konzentration als die entscheidenden bildnerischen Maßnahmen zur Durchführung dieses Prozesses.

Die Figuren des Hintergrundes etwa (Abb. 13) sind sitzend gegeben, fast ganzfigurig und dabei räumlich verankert. Die der mittleren Gruppe (Abb. 14) hingegen widersetzen sich einer räumlichen Verortung. Sie wirken unbasiert, vom Körperlich-Motivischen unklar und auf die Köpfe hin ausgerichtet. Das heißt, die Köpfe werden hervorgehoben, die übrigen Motive zurückgenommen, vereinfacht, eine Veränderung folglich der konkret dinglichen Vorgaben zum Zwecke ihrer Verwendung als Formzeichen. Schließlich die Figuren im Vordergrund (Abb. 19), weiter reduziert,

nämlich als Halbfiguren bzw. büstenförmig gegeben und damit noch stärker auf die Köpfe (bzw. Hauben) zugespitzt und vereinfacht, wobei gerade in diesem Bereich eine Zunahme der Stilisierungstendenzen auch von links nach rechts festgestellt werden kann.
Demnach sehen wir die Figuren aus einer das materiell Vorgegebene eher wiederholenden Wiedergabe (Hintergrund) heraus- und hinübertreten in eine Darstellungsweise, die bestimmte Elemente am motivisch Vorgegebenen betont, andere unterdrückt (Mittelgrund), um schließlich in einer neuen Art, als reine Formfigurationen dargeboten zu werden, denen der Charakter eines Bildzeichens eignet, da alles motivisch Zufällige, alles Illustrative oder Ausschmückende getilgt ist (Vordergrund). An diesem optisch sich ereignenden Entwicklungsprozeß hat natürlich auch die farbige Fassung des Gegenständlichen entscheidenden Anteil. Scheinen die Figuren des Hintergrundes in ihren Details summarisch behandelt, aber in der Fleckigkeit momentan, so ändert sich diese Behandlung z. B. bei den Figuren des Vordergrunds dahingehend, daß hier die Farbflecken des Hintergrundes gleichsam zu Farbflächen ausgezogen werden, die dann – fast monochrom angelegt – immer weniger zufällig-individuelle Ausgestaltungen zulassen.
Und auch die Verwendung der Linie zeichnet diesen Prozeß nach. Was etwa die Gestaltung der Hauben betrifft, so folgen die Linien im Hintergrundbereich ihrer spezifischen Formung, geben sie ihnen ein momentan individuierendes Aussehen. Vereinfachung der Konturverläufe erkennt man im Mittelgrund, gepaart mit einer Verfestigung der umrissenen Motivformen im Hinblick auf entindividualisierte Grundformen, bis

hin zur systematisierten Linienführung des Vordergrundbereichs, die hier als reine Grenzwertbildung entgegentritt: »Helme«, so werden diese abstrahierten Hauben treffend von Gauguin selbst in seinem Brief an van Gogh genannt, abstrakte Formkörper, in gerade gezogene Konturwerte eingespannt.
Vergleicht man wiederum mit dem »Tanz«, fällt nicht nur die unterschiedliche Farbkonzeption auf, z. B. die Auflösung der Gegenstandsflächen in nebeneinander gesetzte Farbstriche als Äquivalent für eine momentan einheitliche Erscheinungsweise der Figuren und Gegenstände; wir bemerken auch die stofflich differenzierte, damit aktuell individuierende Wiedergabe der Gewänder, vor allem auch der Hauben, die – obwohl sie Hinweise auf mögliche Grundformen enthalten – doch ganz eindeutig vom Motiv her gedacht sind. Entsprechend behält auch die Linie ihre weitgehend gegenstandsinterpretierende bzw. -aktualisierende Funktion. Vor allem aber bleibt die Gestaltungsweise in allen Bereichen gleich, gibt das Bild keinen Entwicklungsprozeß zu erkennen, sondern zeigen sich Figuren und Landschaft, Mensch und Natur momentan zu einer szenischen Einheit verbunden.
Von solch momentaner Einheitssetzung hat sich die »Vision nach der Predigt« weit entfernt. Gegensätzliches wird akzentuiert, das Gegeneinanderstehen von Formen und Bildteilen wird betont und damit der Kampf, der folglich nicht nur als Motiv im Bild, sondern auch im bildlichen Entwicklungsprozeß, als Bildprinzip gefaßt werden kann. Der Entwicklungsprozeß verläuft dabei von links oben (oder hinten) nach rechts unten (oder vorn), um – sowohl von der farbigen Fassung als auch von der linearen Erfassung des Gegen-

standes her – in den beiden großen Rückenfiguren im Vordergrund seinen Höhepunkt zu erreichen: Den Höhepunkt in der Verwandlung der Bildgegenstände zu Bildzeichen.

Der Baum, der die Bildfläche diagonal teilt, könnte dabei als Indikator für das bildliche Kampfgeschehen fungieren, als Gradmesser für den Verwandlungsprozeß: Er trennt zunächst zwei Bereiche, und zwar dort im Bild, wo die Gegenstandswelt in ihrer zufälligen, übergängigen Erscheinung entgegentritt, also im Hinter- und Mittelgrund. Doch biegt der Baum im Mittelgrund bereits nach rechts hin durch und gibt so virtuell eine Bewegung zu erkennen, die dann motivisch von der Vordergrundfigur im verlorenen Profil nachvollzogen wird: Das Nebeneinander der Bereiche entwickelt sich zu einem gespannten Gegeneinander, um schließlich – in der Entwicklung des Vordergrundbereichs von links nach rechts – in den weiblichen Rückenfiguren, die den Baum überschneiden, zu einem gleichberechtigten Miteinander fortzuschreiten. D. h. erst dort, wo die Gegenstandswelt radikal reduziert und auf abstrakte Formen hin systematisiert in Erscheinung tritt, folglich ihre Verwandlung zu Bildzeichen abgeschlossen scheint, fällt die Grenze im Bild, verflüchtigen sich die Gegensätze, kommt es zu einem wirklichen Zusammenhang von links und rechts bzw. oben und unten, hinten und vorn. Der Baum, offenbar ein Baum der Erkenntnis, gibt damit klar zu erkennen, daß erst die Verwandlung von Gegenstandsformen in Bildformen, eine Auflösung der Gegensätze und Brüche des Faktischen möglich zu machen und so eine kohärente Schau von Welt zu vermitteln vermag.

Dieser Verwandlungsprozeß betrifft aber zentral den

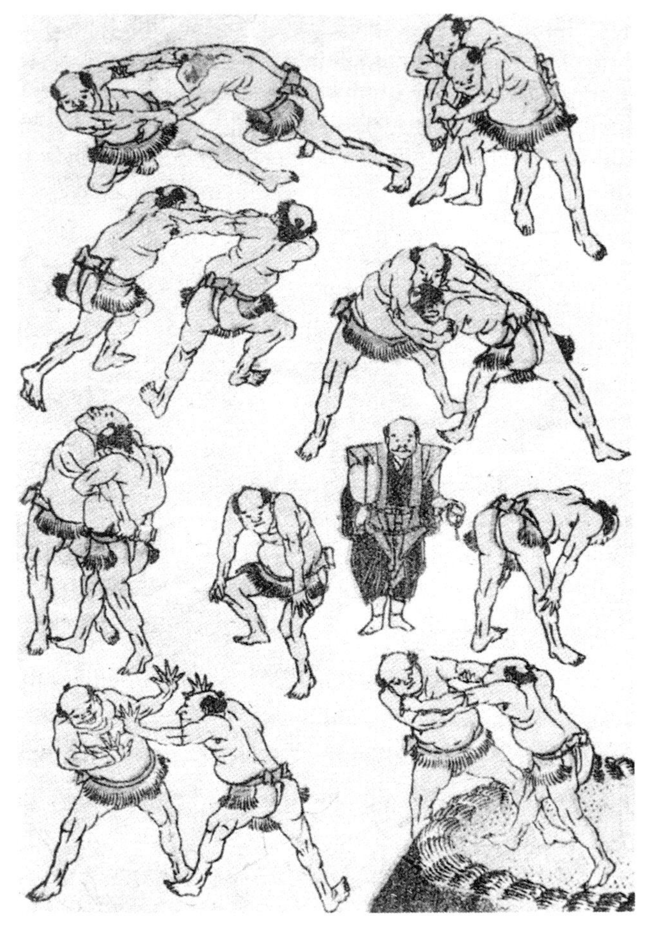

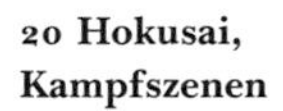

**20 Hokusai, Kampfszenen**

Bereich der Bäuerinnen, d.h. den genrehaften Bildteil, während die Gruppe der Kämpfenden (Gauguin ›zitiert‹ hier ein japanisches Vorbild) (Abb. 20)[41] von vornherein als Bildchiffre gegeben ist. Infolgedessen signalisieren die Kämpfenden (Abb. 17) auch von Anfang an das Ziel des Entwicklungsprozesses, der im Bild von den Bäuerinnen durchlaufen werden muß, um die Einheit als Bild zu ermöglichen. Auf dieses Ziel hin wissen sich alle Formen und Motive ausgerichtet. Zwar nehmen die Figuren des Hinter- und Mittelgrundes den Kampf tatsächlich nicht wahr, doch zeigen sie sich in ihrer Abfolge bzw. formalen Anordnung (kreisbogenförmig, die vorbereitende Skizze (Abb. 4) setzte bereits diesen Akzent, wie in einer Arena) gleichwohl auf die Kampfgruppe bezogen; eine formale Bindung, die durch das motivisch-momentane Verhalten der Bäuerinnen hier scheinhaft verdeckt ist.
Eindringlicher aber noch als die formale Klammer formuliert die Farbe den grundsätzlichen Zusammenhang der anscheinend getrennten Bereiche. Der durchgehend rote Grund macht deutlich, daß alles wie auch immer gegenständlich oder figürlich Gegebene als Ausfluß aus einem Gemeinsamen zu verstehen sei, einem ursprünglich Einen,[42] daß folglich nichts für sich existiert, sondern in Verbindung mit Anderem und dem Ganzen, wobei freilich das Einzelne in unterschiedlicher Weise Kontakt zum Ganzen hält: Unmittelbar mit dem roten Grund verbunden und aus diesem Verbundensein im Kampf (einer besonderen Art der Verbindung) sich lösend, erscheinen Jakob und der Engel. Dem Engel, mit den Grundfarben Blau und Gelb auf rotem Grund, tritt Jakob entgegen, aus den Farben des Engels gemischt, also in grün und damit –

weitergehend – in komplementärem Kontrast zum Rot des Grundes. Jakob ringt sich los vom uranfänglich Einen (rot), verkörpert durch den Engel mit den Grundfarben blau und gelb im Rot des Grundes, der die ursprüngliche Einheit aktuell rekonstituiert, indem er die farbliche Differenzierung des Einen (rot) gebrochen, aber als Farbtotalität ausweist. Jakob ringt sich los, insofern er selbst aus den Farben des Engels gemischt ist (also nur die Differenz des Engels aufnimmt), grün und dadurch in komplementären Kontrast zum ursprünglich einen Rot gerät.

Aus diesen ersten, systematischen Differenzierungen ergeben sich dann weitere und neue, zeigten sich Mischfarben z. B. das Braun des Baumes aus rot und gelb. Der Baum ist dabei insgesamt mischfarbig angelegt, grün und braun, also bereits differenzierter, wie er auch selbst weitere Differenzierungen auslöst, z. B. die Unterteilung des primärfarbigen roten Grundes. So kommt es zur Zerstückelung des ursprünglich Einen, wobei gleichzeitig eine räumlich-zeitliche Differenzierung der einzelnen Teile zu beobachten ist und damit zunehmend eine motivisch-momentane Aufladung des ehemals zeit- und raumindifferenten roten Grundes: Während der Baum zur Seite der Kämpfenden noch in der Fläche gesehen wird, erscheint er zur Seite der Frauen zunehmend als räumlich plastischer Wert, wie auch der rote Grund auf Seiten der Frauen selbst verräumlicht scheint. Doch wird er nicht wirklicher Raum; denn dann müßte sich dieser Grund als grüne Wiese darbieten, zumindest als empirisch möglicher Boden. So aber wird der transempirische Grund des Bildes gleichsam zum ›Raum‹, d. h. unter den Bedingungen des Empirischen mitgesehen.

Infolgedessen bezeugt der bildliche Entwicklungsprozeß in Gauguins Bild der »Vision« nicht nur die Verwandlung von Dingformen in Bildformen bzw. Bildzeichen, sondern auch und zugleich den Entwicklungsprozeß der materiellen Welt, nämlich die Verwandlung des Einen-Insgesamt in die Vielheit des gegenständlich Einzelnen. Und er bezeugt diese Entwicklung des Materiellen aus dem Immateriellen, dem roten Grund heraus als Kampf, in dem Individuation als Trennung sich ereignet; aus der ursprünglichen Allverbundenheit wird konflikthafte Verbindung von Unterschiedenem, das sich – infolge des Kampfes – verselbständigt, isoliert, um schließlich in Gegensätzliches auseinanderzutreten, konkret in den Gegensatz von Mensch und Engel, Mensch und Natur, Mensch und Tier, Mensch und Mensch, Mann und Frau.
Freilich – und auch dies kann der Prozeßstruktur entnommen werden – diese Entwicklung der materiellen Welt in ihre Gegensätze muß nicht unbedingt als notwendig und in diesem Sinn unumkehrbar, immer gültig gesehen werden, sondern sollte im Gegenteil offen gehalten werden auf ihren Ursprung hin – die Einheit des roten Grunds. Gerade die Umkehrbarkeit dieses Prozesses der Differenzierung und Isolation herauszustellen, ihn nicht als ›naturgegeben‹ hinzunehmen, das aber heißt, eine Revision des vorgeblich faktisch Bestimmenden vorzunehmen, dies gehört zu den zentralen Anliegen der »Vision nach der Predigt«, gehört dann aber auch zu den zentralen Anliegen der Kunst Paul Gauguins insgesamt wie zu den leitenden Gedanken der französischen Kunst in der 2. Hälfte des 19. Jahrhunderts: Entgegen den radikalen Versachlichungstendenzen der Zeit sieht die Kunst ihre Aufgabe

darin, diesen Bestrebungen entgegenzuwirken, der Veräußerlichung der Welt mit ihrer Verinnerlichung in der Kunst zu antworten.
Aufgabe der Kunst wäre folglich, die Entwicklung der materiellen Welt bildlich vor Augen zu führen als Prozeß, der umzukehren sei, nämlich zurückentwickelt werden müsse von der versachlichten Gegenstandswelt und ihrer Beliebigkeit als Summe des Faktischen zum Ausgangspunkt, der ursprünglichen Idee einer sinnbestimmten Totalität. Und Aufgabe des Künstlers wäre es, diese ursprüngliche Idee durch die versachlichte Gegenstandswelt hindurch sichtbar werden zu lassen. Dazu wiederum bedarf es aber einer besonderen Darstellungsweise des Gegenständlichen, die nun nicht abbildet, was konkret ist, d. h. nicht in der Wiedergabe der äußerlichen Gegebenheiten stehenbleibt, sondern dieses durchschaut, Dahinterliegendes ersieht, folglich Gegenständliches zu verwandeln, nämlich in Zeichen einer Bildschrift umzuschreiben weiß, die Dahinterliegendes, den Bedingungsgrund oder die Idee des sinnlich Erscheinenden zur Anschauung zu bringen vermag.
Freilich müßte eine solche Darstellungsweise mit allem brechen, was traditionellerweise für die Kunst und ihre Entwicklung als leitend angesehen und gelehrt wurde, vor allem mit der immer weitergetriebenen Perfektionierung der bildnerischen Möglichkeiten im Hinblick auf eine immer perfektere Wiedergabe des Wirklichen.[43] Denn es war ja gerade jene Form der Perfektionierung, welche das Gesamte der Wirklichkeitserfahrung in die Summe ihrer Fakten zerlegt und damit jede übergreifende Verstehensmöglichkeit unmöglich gemacht hatte. Nicht nach vorn, sondern zurück zu

schauen, war deshalb angeraten, wollte man weiterkommen. Die Vision des Neuen konnte sich nur infolge einer Revision des Sehens ereignen, als Gesicht, das dem zuteil wird, der nicht weiter nach außen, sondern intensiver nach innen blickt.
Eben eine solche Umkehrung der Blickrichtung demonstriert Gauguins Bild der »Vision nach der Predigt«, eine Revision des Sehens, welche allererst den Blick freigibt für die »Vision« d. h. für einen bildlich sich ereignenden Sinnzusammenhang des gegenständlich Erscheinenden. Denn tatsächlich dreht es sich bei diesem Bild ja nicht nur um die ›Vision‹ einiger Bäuerinnen aufgrund der Predigt des Pfarrers, sondern, vermöge der Bildhandlung und des sich darin dokumentierenden Entwicklungsprozesses, auch und zugleich um eine Vision des Betrachters aufgrund des Bildes: Vision ist nicht nur im Bild gegeben, sondern auch als Bild. Dabei geht es um die Eröffnung einer neuen Sichtweise, die mehr und Anderes in den Blick bringt als jene einmalige, von bestimmten Bedingungen abhängige, momentane ›Halluzination‹ der Bäuerinnen. Denn im Unterschied zum »Tanz« schließen sich hier die Bäuerinnen nicht im Bilde zusammen und vom Betrachter ab, sind sie nicht für sich in ihrer Szene autonom dargestellt, sondern verweisen sie in ihrer szenischen Anordnung auf eine Mitpräsenz des betrachtenden Subjekts. Infolgedessen erschließt sich diesem über das Verhalten der Bäuerinnen im Bild das Bild selbst als Vision, d. h. als eine Sicht von Welt, welche Gegenständliches wahrnimmt als Verweis auf eine wesenhafte Wirklichkeit, nämlich auf einen sie dem Wesen nach begründenden Sinnzusammenhang.

## Innen- und Außenbild

Um die Sicht hinter die Dinge, die zugleich eine Sicht des Menschen nach innen verlangt, eine geistige Schau also, geht es aber wesentlich in diesem Bild. Denn in dem Maße, wie aufgeklärte Geschichte als Entwicklungsmodell spätestens mit den Folgen der Industrialisierung für die Vorstellung eines sinnbestimmten Insgesamt nicht mehr zu überzeugen vermochte, ereignete sich die Wende zum Menschen als demjenigen, der solche Konzepte ausdenkt. Wie ist der Mensch beschaffen, was bestimmt ihn seiner Natur nach, was bindet ihn im Wesen? Der Blick ins Innere des Menschen als Möglichkeit, das Äußere zu verstehen und von daher ein neues Band des Zusammenhangs zu knüpfen, eben dieser Blick liefert auch die Eckpfosten für den Gauguinschen Bildbau. So sehen wir an entscheidender Stelle, nämlich links und rechts die Bildfläche eröffnend, zwei Profilfiguren, symmetrisch aufeinander bezogen, beide mit geschlossenen Augen: Links die betende Frau (Abb. 15), rechts den vielleicht sprechenden Priester (Abb. 16). Das In-sich-hinein-Blicken wird damit zum Rahmen für das, was sich im Bild ereignet. Leitthema – so könnte man formulieren – ist das Sich-Vorstellen eines inneren Bildes, das als Bild vorgestellt werden soll. Bereits diese Rahmenhandlung gibt einen deutlichen Hinweis darauf, daß die Wahrnehmung des Bildlichen hier nicht direkt erfolgen, daß Sehen nicht mit Wiedererkennen gleichgesetzt werden kann, sondern Einsehen verlangt, sehendes Sehen. Dieser Wechsel in der Seheinstellung wird auch im Bild selbst thematisiert, bildet sogar das zentrale Thema in den Aktivitäten der Bäuerinnen, die Sehweisen verkörpern, welche von normalem Sehen nach Außen (Hintergrund) und in sich Hineinsehen (Mittelgrund), über das bewußte Sehen nach Innen (betende Profilfigur) und nach Außen (Figur im verlorenen Profil) bis zur reinen ›Schau‹ (entindividualisierte Rückenfiguren im Vordergrund) reichen.

Die betende Bäuerin links und der vielleicht sprechende Priester rechts haben aber neben ihrer Eröffnungsfunktion als Eckwerte zugleich Scharnierfunktion; sie rahmen nicht nur, sondern leiten auch ins Bild. So orientieren sich etwa die Frauengruppen am linken Bildrand auf die betende Frau vorn hin; einerseits dadurch, daß sie sich – formal gesehen – in einem Flächenstreifen befinden, der in der Vertikalen aus den betenden Händen der Eckfigur, dem Kontur der hinteren Bäuerin der Mittelgrundgruppe und der Kuh sowie dem getreppten Kontur aus dem Kleid der hinteren Bäuerin und dem Laub am oberen Bildrand seine formale Grenze zum Bildinneren hin erhält; andererseits dadurch, daß sich die Figurengruppen in ihrer räumlich diagonalen Struktur immer nach vorn und dabei auch auf den linken Bildrand hin ausrichten; schließlich auch vom Motiv her dadurch, daß die vorderste Figur der Frauengruppe im Mittelgrund (Abb. 14) sich direkt aus dem Bildinneren nach vorn wendet, aus dem Bild heraus bzw. auf die betende Figur am linken Bildrand hin.

Dagegen orientiert sich der Priester auf die Kampfszene. Da er – ohne Barriere belastet – unmittelbar im roten Grund steht, zugleich durch die Ausrichtung seines Kopfes mit diagonalen Richtwerten (Mund-Kinn-

Linie, Haaransatz und Tonsurlinien) auf die Diagonale des Baumstammes voraus weist, die den Kampf nach links hin rahmt, wird optisch ein direkter Zusammenhang zwischen dem Priester und dem Kampfgeschehen suggeriert: Offenbar der Geistliche, der eine Predigt über Jakobs Kampf hält oder gehalten hat. Hieran knüpfen wohl die Überlegungen Auriers und anderer an, welche dahin gehen, daß wir es bei der dargestellten Szene mit einem Ereignis zu tun haben, das sich tatsächlich in einem Kirchenraum abspiele. Allerdings sei der konkrete Raum im Verlauf der Predigt entschwunden, um den Worten des Priesters Platz zu machen, ihnen (den) Raum zu geben: Die Worte verdichten sich so zur Wirklichkeit, während diese sich, als gebaute Architektur, verflüchtigt habe.
Abgesehen von der Schwierigkeit, die im Bild erscheinenden Bäuerinnen in ihren unterschiedlichen Verhaltensweisen einem Kirchenraum zuordnen zu müssen, bilden der Baum und die Kuh Motivformen, die sich entschieden gegen die Vorstellung einer Innenraumszene sperren.[44] Doch birgt der Versuch einer Zuweisung der dargestellten Szene an den Außenraum nicht weniger Probleme. Denn ergriffen betende Frauen und einen mit geschlossenen Augen vielleicht sprechenden Geistlichen wird man nicht so ohne weiteres in einen Außenraum plazieren wollen. Offenbar ist eine definitive Lokalisierung der Szene von Gauguin gar nicht gewünscht, sucht er auch hier eher Gegensätze herauszustellen, um sie dann als falsch gestellte Alternativen zu überwinden; räumliche Gegensätze wie Innen- und Außenraum, aber auch zeitliche. So könnte man – was die Darstellung der Frauen betrifft – an eine zeitliche Zusammenziehung konkret unter-

schiedlicher Geschehensmomente im Bild denken, d.h. an eine Darstellung der Frauen vor und nach der Predigt, bezogen auf das Eben-Jetzt des Worts: Das faktische Zuvor und Danach, aufgehoben im aktuellen Eben-Jetzt des Bild werdenden Worts. Das Wort der Predigt ist wichtig; es gibt den *wörtlichen* Zusammenhang des Dargestellten, der solcherart freilich erst im Bild zur Geltung gelangt.

Insofern bestimmt in letzter Instanz der *bildlich* gestiftete Zusammenhang, der sich am klarsten durch die Farbe ausspricht, in jenem durchgehend roten Grund. Er bildet optisch das Äquivalent zur Predigt des Pfarrers, die *wörtlich* die Figuren verbindet. Entsprechend umkreisen die Figuren nicht den Pfarrer, sondern sein Bild gewordenes Wort, dem er auch als Figur untergeordnet bleibt. Selbst wenn der Pfarrer spräche, eine Bewegung des Mundes scheint zumindest angedeutet (Abb. 16), wäre doch nicht seine aktuelle Präsenz gemeint, sondern seine ideelle, als Urheber des eben jetzt Bild werdenden Worts. Folglich predigt er nicht im Augenblick, sondern steht er ein für das auslösende Wort, steht er wie eine Signatur auf dem durch sein Wort ausgelösten Kampfbild. In diese Richtung zielt wohl auch Auriers Auslegung, die den Pfarrer auf seine »Stimme« verkürzt, eine – wie ich meine – treffende Pointierung der anschaulichen Funktion des Dargestellten.

Der Pfarrer bietet folglich den einen Eckwert der Vision, ihren wörtlichen Ausgangspunkt, die Aktualisierung der Vision, die er aus seinem Inneren heraus als Predigt produziert. Dem Pfarrer auf der rechten Seite entspricht die betende Frau als Eckwert der linken Seite, welche, in sich hineinblickend, die Predigt als Vision reproduziert: Sie sieht im Inneren als Bild, was der

Pfarrer durch Worte in die Vorstellung rief, und was dann als Vision im Bilde dargestellt ist. Folglich sehen wir als Vision, was der Pfarrer aus sich heraus in Worte faßte und was die betende Frau in sich hinein als Bild ersah. Die betende Frau und der vielleicht sprechende Pfarrer vermitteln so auf unterschiedliche Weise die Vorstellung eines gemeinsamen Inneren, ein geistiges Bild, das dann in unterschiedlicher Weise im Außen wahrgenommen wird. Es sind die Bäuerinnen, die solcherart unterschiedlich auf die Vision reagieren, wobei die Spannbreite von Überhaupt-nicht-Sehen bis Unmittelbar-Einsehen reicht.
Was nun die Beschreibung dieser unterschiedlichen Weisen der Bäuerinnen, die Vision wahrzunehmen betrifft, so kann man zwei Richtungen einschlagen: Entweder man geht von links hinten nach rechts vorn oder von rechts vorn nach links hinten. Wählt man die erste Beschreibungsart, dann zeigen sich folgende Seheinstellungen: intentionsloses Sehen nach Außen (Hintergrund), intentionsloses Sehen nach Innen, unandächtig beten (Mittelgrund); intensives Nach-innen-Schauen, andächtig beten (linke Randfigur), intensives, willentlich geleitetes Sehen nach Außen (Frau in verlorenem Profil), reines Sehen (Rückenfiguren).
Im einzelnen bedeutet dies, daß die Worte des Pfarrers bei der hinteren Frauengruppe keine Reaktion zeitigen (Abb. 13): Die Predigt mag vergangen oder zukünftig sein, auf jeden Fall spielt sie für die Gegenwart, die augenblickliche Situation, keine Rolle: Man sitzt vor oder nach dem Kirchenbesuch auf der Wiese, die eigentlich hätte grün sein müssen, zusammen und unterhält sich. Die Frauen im Mittelgrund dagegen knien (Abb. 14) und beten, sind mit inneren Vorstellungen beschäftigt,

aber ohne Vision. Auch für diese Frauen bleibt die Predigt Vergangenes ohne Nachwirkung oder Zukünftiges. Denn von der Ausrichtung der Köpfe her gibt es keinen Hinweis auf die Kampfgruppe, wohl aber einen Bezug zum Vordergrund, zur konzentriert nach innen schauenden weiblichen Figur am linken Bildrand, also der betenden Eckfigur (Abb. 15). Ihr entwirft sich im Innern ein Bild, welches das Vergangene als eine aktuelle Handlung gegenwärtig werden läßt, die zu Ehrfurcht zwingt: Beten. Auf die konzentriert nach innen Blickende folgt als Kontrastfigur jene dezidiert nach außen schauende Frau (Abb. 15), die etwas ersehen *will*. Die innere Vorstellung gleichsam aktiv umsetzend, sucht sie diese im Außen wiederzufinden bzw. herauszusehen. Doch dem bewußt von innen her nach außen Sehen-Wollen bleibt die Sicht der Vision versperrt. Die Barriere des Baumes legt sich dazwischen, und nur der Widerschein des ›Anderen‹ spielt auf ihrem Gesicht (in gelblichem Schimmer). Erst den Rückenfiguren (Abb. 16) eröffnet sich dann die direkte Schau des ›Anderen‹. Entindividualisiert verkörpern sie reines Sehen, damit jenes Sehen, das den Unterschied von Sehen nach außen und Sehen nach innen, den Unterschied von Begriff und Anschauung, von Elementarem und Situationalem, Sakralem und Profanem nicht kennt, damit jenes für das Ersehen der Vision notwendige, selbstvergessene, ursprüngliche Sehen. Allein diesem Sehen schwindet die Barriere des Baumes, werden Dinge zu »Buchstaben in einem unermeßlichen, grenzenlosen Alphabet«, in dem sich das Wesen oder die Idee von Welt ausdrückt.

Geht man in der Beschreibung den umgekehrten Weg und beginnt rechts vorn, dann zeigt sich umgekehrt

eine Entwicklung, in der die anfängliche Einheit von Innen und Außen (Geistlicher, Abb. 16), also das Zugleich von Situationalem und Elementarem, Anschauung und Idee, zunehmend verlorengeht. Die beiden Rückenfiguren (Abb. 16) stehen zwar für diese Einheit, doch ergibt sich durch die Differenzierung des situational Anschaulichen (hier die räumliche Differenzierung der Figuren durch Überschneidung bzw. Staffelung) bereits eine erste Spaltungstendenz, welche gleichsam im ›Flügel‹ der Haube rechts entspringt, der als Formwert auf die dann tatsächlich trennende Form des Baumes vorausweist. Gleichwohl überschneidet auch die linke Rückenfigur die Grenze des Baumes, trotz der räumlich stärkeren Differenzierung, hält sie Verbindung zum ›Anderen‹. Dies geht wirklich erst für die bewußt Sehende verloren (Abb. 15). D.h. erst die momentane Handlung des Sehen-Wollens als einer deutlich raumzeitlichen Differenzierung (Individuation), bringt die tatsächliche Trennung des Bildes in zwei Bereiche, wobei das Elementare, das Innen im Außen und damit die Verbindung von Innen und Außen verlorengeht.
Entsprechend kann eine solche Verbindung allein noch im Inneren erfolgen, im Gebet (Abb. 15). Das heißt, der Zusammenhang kann allein noch geistig, im Gebet hergestellt aber nicht mehr im Außen vorgestellt werden. Und die Differenzierungen gehen weiter. Für die Frauengruppe des Mittelgrundes (Abb. 14) erweist sich die Evokation einer solchen Verbindung entweder als eine zeitlich vergangene, die nicht mehr zählt, oder als zukünftige. Jedenfalls emanzipieren sich diese Figuren vom Wort und der Sicht der Einheit, indem sie sich zugleich räumlich und szenisch emanzipieren, so

daß sie zunehmend genrehaft erscheinen. Dieser Prozeß einer Wandlung vom Ereignishaften zum Genremäßigen kulminiert schließlich in der Frauengruppe des Hintergrundes (Abb. 13), die sich selbst zu genügen scheint: Bäuerinnen auf einer Dorfwiese. Dazu paßt dann auch das Auftauchen der Kuh. Das heißt, die Faktizität der situationalen und damit vorgeblich realen Welt hat hier die Vorstellung einer Welt ihrem Wesen nach – als Zusammenhang von Innen und Außen, Mensch und Natur, Empirischem und Transempirischem – fast gänzlich verdrängt. Bis auf den roten Grund. Doch dieser ist auf die Wertigkeit eines koloristischen Versatzstücks reduziert. Ein roter ›tache‹ in einem letztlich von den sitzenden Figuren, dem Laubwerk des Baums und der Kuh bestimmten koloristischen Wirklichkeitsausschnitt.
Und dennoch ist auch dieser Bereich noch miterfaßt, in den Zusammenhang der ›Predigt‹ eingebunden, nicht nur durch die rote Farbe, sondern ebenso durch die kreisförmige Anordnungsweise der Figuren und – damit verbunden – den sich insgesamt durchhaltenden Bildprozeß. Auch wenn die Sitzenden dies nicht wahrnehmen, sind sie doch feste Elemente innerhalb eines sinnbestimmten Gesamtzusammenhangs, nehmen auch sie – wenn auch ex negativo – Teil an der Eröffnung einer neuen Sicht, einem neuen Sehen, das an diesem Bild gelernt werden soll: Dem Sehen hinter die Dinge, dem Sehen der Dinge als Verweise und damit dem Heraussehen des wesentlichen aus dem Kontingenten und Farbvielfältigen der Welterscheinung: Welt als Vision des Wesentlichen, auch dazu will die »Vision nach der Predigt oder Jakobs Kampf mit dem Engel« Anleitung sein.

## Jakobs Kämpfe

Konkret als Vision des Wesentlichen ist dann der Kampf Jakobs mit dem Engel dargeboten (Abb. 17). Ein alttestamentarisches Ereignis, das aber nicht selbst gemeint ist, sondern als Vision, das heißt als Verkörperung oder Vergegenständlichung eines geistig Vorgestellten: Es steht ein für ein anderes, das aber nur auf diese Weise, indirekt zur Geltung gebracht werden kann. Folglich wird die Darstellung des Kampfes nicht allein in der Perspektive religiöser Ereignisdarstellungen zu betrachten sein, haben wir gerade bei Gauguin auch weniger die bildliche Vergegenwärtigung eines vergangenen, textlich überlieferten Ereignisses zu erwarten, als z. B. bei Delacroix, dessen Gemälde »Jakobs Kampf mit dem Engel« (Abb. 21) zunächst sehr wohl als religiöses Ereignisbild passieren könnte. Zumindest bezieht sich seine Darstellung sehr genau auf die textliche Überlieferung Genesis, 32, 23-33:
»Und Jakob stand auf in der Nacht und nahm seine zwei Weiber und die zwei Mägde und seine elf Kinder und zog an die Furt des Jabbok, nahm sie und führte sie über das Wasser, daß hinüberkam, was er hatte, und blieb allein. Da rang ein Mann mit ihm, bis die Morgenröte anbrach. Und da er sah, daß er ihn nicht übermochte, rührte er das Gelenk seiner Hüfte an und das Gelenk der Hüfte Jakobs ward über dem Ringen mit ihm verrenkt. Und er sprach: Laß mich gehen, denn die Morgenröte bricht an. Aber er antwortete: Ich lasse dich nicht, du segnest mich denn.
Er sprach: Wie heißest du? Er antwortete: Jakob. Er

21 Eugène Delacroix,
Jakobs Kampf
mit dem Engel,
1856-1861

sprach: Du sollst nicht mehr Jakob heißen, sondern Israel; denn du hast mit Gott und Menschen gekämpft und bist oblegen. Und Jakob fragte ihn und sprach: Sage doch, wie heißest Du? Er aber sprach: Warum fragst du, wie ich heiße? Und er segnete ihn daselbst. Und Jakob hieß die Stätte Pniel; denn ich habe Gott von Angesicht gesehen, und meine Seele ist genesen. Und als er am Pniel vorüberkam, ging ihm die Sonne auf; und er hinkte an seiner Hüfte.«

Alle für den szenischen Ablauf wichtigen Elemente finden wir in Delacroix' Gemälde wieder, so den Fluß Jabbok links, die Herde rechts, mit Kamelen und Schafen, die Diener und – im Vordergrund des Bildes, unter den machtvollen Bäumen – den hochdramatischen Kampf Jakobs mit dem Engel selbst, weniger ein gleichgewichtiges Ringen als vielmehr ein Anstürmen Jakobs in den Engel, die lebhafteste Vergegenwärtigung eines vergangenen Geschehens. Nichts von alledem ist bei Gauguins Kampf festzustellen; die Figuren besitzen nicht nur keinerlei Individualität, sind nicht nur in ihrer Motivik von Hokusais Kampfszenen übernommen (Abb. 20), sie erscheinen auch wie gestanzt, als handele es sich bei diesen Figuren um Stempelabdrücke. Und selbstverständlich fehlt auch der Kontext der Geschichte; weder ist ein Fluß zu sehen, noch irgendeine andere örtliche Kennzeichnung, geschweige denn Schafe und Kamele; nur eine Kuh; aber die scheint ebenso wie der Baum weniger zum Kampfgeschehen als vielmehr zur Genreszene der Bäuerinnen zu gehören. Und natürlich die Bäuerinnen: Auch sie wollen mit der Geschichte Jakobs nicht zusammenpassen, jedenfalls nicht mit ihrer Darstellung im Sinne eines heilsgeschichtlichen Ereignisbildes.

Folglich kann Gauguin nicht den einen bestimmten Kampf Jakobs mit dem Engel gemeint haben, den überlieferten, sondern diesen nur, insofern er paradigmatisch steht für einen Kampf zweier Welten, der religiösen und der profanen; wobei der Kampf auch als Umarmung gesehen werden kann, also nicht nur feindselig, sondern – wir erinnern uns an Cézanne – auch als Liebeskampf. Bildentscheidend ist demnach die – wie auch immer zu deutende – liebende oder streitende Umarmung von Welt und Überwelt, von Oben und Unten: Vision des Wesentlichen, das ist die bald liebende, bald streitende Verbindung von Oben und Unten, von Geist und Materie als den beiden Prinzipien des Lebens. Beide erst bedingen Leben, und folglich müssen beide in ihrer Durchdringung oder Umarmung oder in ihrem Kampf gesehen werden. Die Verabsolutierung des Materiellen bringt nur Schimären hervor, leblose Fakten, Vorübergehendes, Vordergründiges. Erst im Zusammenhang mit dem ihm entgegengesetzten Geistigen werden Fakten ›wesenhaft‹ erkannt. Und zu diesem wesenhaften Erkennen will Malerei hier verhelfen, nämlich den Blick öffnen über die Darstellung der Dinge hinaus auf ihren Geist hin, die zugrundeliegende Idee. Entsprechend wird der Kampf nicht als Ereignis thematisiert, nicht als dies wirkliche Geschehen dargeboten, sondern als Vehikel einer wesenhaften Einsicht, auf die sich das Bild prozessual zuspitzt: Die an diesem Ereignis entfaltete *Sicht* ist das entscheidende, Ereignis als »Eräugnis«, um mit Goethe zu sprechen, nicht das überlieferte Geschehen selbst.

Aber natürlich erfüllt sich auch Delacroix' Jakobs-Kampf nicht in der szenisch anschaulichen Vergegenwärtigung eines vergangenen, textlich überlieferten Geschehens, will auch seine Darstellung mehr und anderes sein, nämlich über die bildliche Aktualisierung eines Vergangenen hinaus Darstellung und Deutung eines Allgemeinen, Prinzipiellen. Doch erschließt sich dies Weitergehende hier aus der Szene selbst, aus der konkreten Darstellung des Geschehens.

So ist zunächst die Unterteilung des Gesamten in eine Haupt- und eine Nebenszene zu beachten. Von dem normalen Weg, den die Herde mit den Menschen zieht, hat Jakob sich entfernt, den normalen Lebensweg, also den natürlich-zyklischen mit Werden und Vergehen, verlassen. In dieser Weise isoliert, ein Außenseiter, sucht er das Wesen der Natur, sucht er jenes, was hinter dem Normalen steht, zu ergründen, sucht er der Natur ihr Geheimnis, ihr Wesen zu entreißen. Jakob, der Patriarch, ein Suchender und zugleich Sehender und – in diesem Sinne – Sinnbild auch für den Künstler: Der Künstler als Suchender und Seher, allein, isoliert, gezeichnet vom Kampf mit dem Dämon und zugleich bezeichnet mit dem Zeichen des Genialen, der allein diesen Schritt ins Unbekannte, ins Abwegige, Außenseitige zu tun wagt. Er sucht das Wesen der Existenz zu ergründen und sieht sich dabei nicht nur mit der Schöpfung, sondern darüber hinaus mit dem Schöpfer selbst konfrontiert. Er muß kämpfen und, indem er in dieser Weise immer weiter in die letzten Geheimnisse einzudringen sucht, auf Leben und Tod kämpfen: Konkret kämpft er um die Erkenntnis des Lebens, und sei es um den Preis des Todes.

Jakob hat den Fluß überschritten, nicht aber die Herde, die an ihm vorbeizieht, zumindest nicht im Bild von Delacroix. Jakob hat einen Fluß überschritten (Abb. 22),

22 **Eugène Delacroix, Jakobs Kampf mit dem Engel, Ausschnitt**

der ein eigenes Land abgrenzt bzw. schützt und in das einzudringen ihm vom Engel verwehrt wird.[45] Infolgedessen markiert dieser Fluß keine normale Grenze, auch nicht jene Barriere, die zu überschreiten ganz allgemein die Bedingung für die Möglichkeit von Erkenntnis oder Einsicht darstellt, sondern jene entscheidende, die jeder Mensch einmal zu überschreiten hat, die Grenze zwischen Leben und Tod. Um diese überschreiten zu können, hat Jakob bzw. Delacroix das Gepränge der Welt abgelegt, das Kleiderstilleben im Vordergrund zeugt davon, hat er abgelegt, was ihn an die Welt, deren Kämpfe und Auseinandersetzungen bindet, stellt er sich gleichsam rein, ohne Schutz, das heißt allein geistig einer rein geistigen Auseinandersetzung, dem Kampf um den Sinn von Leben und Tod.


Auch wenn Jakob bzw. Delacroix in diesem Kampf

**23 Rembrandt Harmensz van Rijn, Jakob ringt mit dem Engel, 1659**

nicht wird siegen können, er wird das Fragen nicht lassen; auch wenn er keine Antwort erhalten, den Namen seines Gegners nicht herausfinden wird, er wird gesegnet werden und damit etwas von der übernatürlichen Kraft seines Gegners empfangen, und er wird einen neuen Namen erhalten: Israel, das heißt Gottesstreiter. Jakob bzw. Delacroix haben das Geheimnis erschaut; sie sind Gezeichnete in der Welt und mit übermenschlicher Kraft begnadet: Der große Prophet und der geniale Künstler.

Für Rembrandt hingegen (Abb. 23) – fast 200 Jahre

zuvor – zeigt sich dieser Kampf nicht allein auf Auserwählte beschränkt, sondern als Erfahrung von Existenz schlechthin, nämlich als Kampf zwischen Dunkelheit und Helligkeit, wobei freilich nur im Kampf, d. h. in einer bewußten Auseinandersetzung, auch Dunkelheit als Form, d. h. als gestaltete Ordnung erkennbar werden kann.[46]

Gauguin wiederum geht es zunächst und primär darum, deutlich zu machen, daß ein solcher Kampf überhaupt nötig und dann auch möglich ist; wenn man so will, hat Gauguin das Gemälde Delacroix' genau umgekehrt inszeniert: Nicht das Alltägliche, Normale ist das Nebensächliche, vor dem das Hauptsächliche, der Kampf erscheint, sondern das Normale, Alltägliche ist die Hauptszene, die so dargeboten werden muß, daß überhaupt einsichtig wird, daß dieses Alltägliche, Faktische nicht alles ist, daß dieses Normale, Feste und vermeintlich Sichere vielmehr nichts als Oberfläche ist, bedeutungslos und scheinhaft, über das man hinauskommen muß, durch das man hindurchsehen muß, um in Wirklichkeit das Wesentliche zu erkennen, das Wesentliche der Wirklichkeit, und daß dies zu erkennen, wiederum wesentlich mit Kampf verbunden ist.

Mögen die Ausgangspunkte verschieden sein, die Aussagen ähneln sich, lassen auch Verwandtschaften erkennen, die miterklären können, weshalb Gauguin für sein Geburtsbild als Künstler jenes Thema aufgriff, mit dem Delacroix wenige Jahre vor seinem Tod eine Vision der Künstlerschaft realisierte. Auch er, Gauguin, rang ja mit dem Dämon der Künstlerschaft, und zwar seit vielen Jahren. Darüber hinaus war Delacroix ganz allgemein zum Ausgangspunkt all jener suchenden und kämpfenden Künstler geworden, die den Impressionismus zu überwinden trachteten. Ob Seurat oder van Gogh, Cézanne oder Gauguin, sie alle griffen bei dem Versuch, den Impressionismus zu überwinden, auf jenen Maler zurück, der allererst die Voraussetzungen für die Möglichkeit impressionistischer Malerei geschaffen hatte. Dabei wird Gauguin vor allem die Selbstaussprache der Farbe bei Delacroix als wesentliches Argument für seine Malerei vernommen haben, die eine Erfahrung des Bildes vermittelt, noch bevor dessen Gegenstandsformen oder deren Geschichte erkannt worden sind. »Es ist, als ob die Farbe... von sich selber her denke, gleichviel, welche Dinge sie umkleide«, so umschreibt Baudelaire diesen Tatbestand. Und Gauguin zieht daraus die Einsicht, daß es »edle Farbtöne [gibt] und gewöhnliche. Es gibt ruhige und tröstliche Farbharmonien, andere Zusammenstellungen regen uns auf durch ihre Kühnheit«. Aber nicht nur die Farben, auch die Linien besitzen – Gauguin zufolge – ihre Sprache: »Die gerade Linie symbolisiert die Unendlichkeit, die Kurve, die gebogene Linie grenzt die Schöpfung ab, ganz zu schweigen von der schicksalhaften Bedeutung der Zahlen.«[47]

Folglich setzt bei Delacroix und bei der Farbe Delacroix' auch der Überwinder des Impressionismus, Gauguin an, aber nicht bei dessen Farbsystematik – wie die Impressionisten –, sondern bei dessen Farbmystik. Wie er in ähnlicher Weise auch als *Künstler* bei Delacroix anknüpft, bei dessen Vision der Künstlerschaft, wenngleich Gauguin den Kampf zwischen Mensch und Gott nicht nur als ein Ereignis sakral-subjektiver Künstler-Erhebung sieht, sondern zugleich – verallgemeinert – als einen Kampf, der menschlichem Erkennen prinzi-

piell zugrundeliegt, den Kampf zwischen Anschauung und Idee, über den freilich erst der Künstler wirklich zu künden vermag.
Hierin findet dann auch ideistische oder symbolische oder synthetische Malerei ihren Ansatzpunkt; jene Malerei Gauguins, die Dinge nicht abbildend herstellen, sondern ihrem Wesen nach darstellen will, die über die Fassung der Gegenstände als Formzeichen und Farbflächen die Schau auf die ihnen zugrundeliegende Idee von Welt, welche in ihrem Kern synthetisch ist, Geist und Materie umfaßt, zu eröffnen sucht. Diesen ursprünglichen Zusammenhang zur Geltung zu bringen, Visionen oder Bilder hierfür zu finden, dies kann als das eigentliche Anliegen der Kunst Paul Gauguins benannt werden, ein Anliegen, das solchermaßen als Programm zum ersten Mal mit dem Bild der »Vision nach der Predigt oder Jakobs Kampf mit dem Engel« zur Geltung gelangte. Insofern setzte Aurier durchaus den richtigen Akzent, wenn er den Symbolismus in der Malerei mit diesem Bilde Gauguins beginnen ließ.

## Das ideistische Konzept

Symbolistische Malerei, das ist für Aurier gleichbedeutend mit ideistischer und letztlich dekorativer Malerei.[48] Denn – wie er selbst sagt –: »Die dekorative Malerei, das ist in Wirklichkeit die wahre Malerei.« Freilich mißversteht den Begriff dekorative Malerei, wer hier lediglich an angewandte, kunsthandwerklich malerische Betätigung denkt, obwohl auch hiervon Elemente in diesen zutiefst synthetisch gedachten Begriff eingehen. Dekorative Malerei erweist sich – nach Aurier – als eine »Manifestation von zugleich subjektiver, synthetischer, symbolischer und ideistischer Kunst«. Diese Kategorien selbst wiederum bilden die Grundlage für das wirkliche Kunstwerk, das entsprechend sein muß:

»1. ideistisch, weil sein einziges Ideal der Ausdruck der Idee sein wird;

2. symbolistisch, da es diese Idee durch Formen ausdrücken wird;

3. synthetisch, da es diese Formen, diese Zeichen so niederschreiben wird, daß sie gemeinsam aufzufassen sind;

4. subjektiv, da das Objekt nie als Objekt betrachtet werden wird, sondern als Zeichen der Idee, die durch das Subjekt erfaßt ist;

5. (das ist eine Konsequenz) dekorativ, denn die eigentliche dekorative Malerei ist nichts anderes als eine Manifestation von zugleich subjektiver, synthetischer, symbolischer und ideistischer Kunst«.[49]

Auch wenn Aurier selbst seine Kriterien für eine

wahre, d. h. dekorative Malerei nicht an seinem Paradigma einer solchen Malerei überprüft, scheinen sie gleichwohl geeignet, die Vielschichtigkeit und Mehrdeutigkeit des gauguinschen Bildes in besonderer Weise zu beleuchten. Entsprechend der ersten Forderung Auriers, wahre Malerei sei eine *ideistische* Malerei, war versucht worden, deutlich zu machen, daß die »Vision nach der Predigt oder Jakobs Kampf mit dem Engel« nicht nur ein Ereignis darstellt, sondern mit diesem zugleich eine Idee, die des Wesens von Wirklichkeit. Wobei das Besondere gerade dieser Darstellung darauf beruht, daß sie nicht nur die Idee darstellt, sondern zugleich und damit verbunden die Bedingung der Möglichkeit, Darstellungen als Veranschaulichung von Ideen wahrzunehmen, d. h. die Idee der Wahrnehmung von Ideendarstellung.

So ist zum einen die Idee von Wirklichkeit zur Geltung gebracht als ein Kampf zwischen Materiellem und Geistigem, Diesseits und Jenseits, Gegensätzen also, welche ursprünglich und wesenhaft – und auch dies ist im Symbol des Kampfes, nämlich als ›liebende‹ Umarmung mitveranschaulicht – eine Einheit bildeten. Und so ist zum anderen die Wahrnehmung dieser Idee der Wirklichkeit als Idee zur Geltung gebracht, insofern in einem konsequent durchgeführten Bildprozeß die Erfahrung dieser Wirklichkeit selbst sich als Resultat eines ›Kampfes‹ herausstellt, d. h. vom Betrachter im Prozeß eines durchsehenden Sehens realisiert wird.

Die Möglichkeit aber einer solchen Realisierung und damit der vorgängige Prozeß des durchsehenden Sehens gründet selbst wiederum auf einer zweiten Forderung, die Aurier aufstellt, daß nämlich wahre Malerei

*symbolistische* Malerei sei. Aurier gibt hier gleichsam eine Ausführungsbestimmung zur ideistischen Malerei, die nicht direkt realisieren kann, sondern einer Realisierung stattdessen, einer indirekten Realisierung bedarf, d. h. symbolistisch sein muß – entsprechend dem Diktum Kants, daß Symbole sich »der Übertragung der Reflexion über einen Gegenstand der Anschauung auf einen ganz anderen Begriff verdanken, dem vielleicht nie eine Anschauung direkt korrespondieren kann«[50]. Folglich muß symbolistische Malerei zwiespältig erscheinen, mehrdeutig; ihre Motive und Gegenstände müssen ›sprachlich‹ so dargeboten werden, daß eine Differenz zwischen Sein und Bedeuten, Darstellung und Dargestelltem, kurz, zwischen Zeichen und Bezeichnetem gleichsam störend, als Diskrepanz auch hervortritt.
Zunächst dürfen Motive und Gegenstandsformen nicht wirklich im Sinne illusionistischer Augentäuschung wiedergegeben sein, d. h. gerade nicht im Sinne eines »fac-similé der vorgeblich realen Welt«, wie Aurier formuliert. Gauguin erreicht dies in seinem Gemälde primär dadurch, daß er jedwede Gegenstands- oder Motivform auf die ursprüngliche, nämlich das Medium der Malerei konkret-dinglich festlegende Gegebenheit der Fläche zurückführt. Keine wahllose oder zufällige Weise also der Distanz- oder Diskrepanzstiftung im Reich der Gegenstandsdarstellung, sondern eine solche, die sich in der Repräsentation von Gegenständlichem auf die mediale Institution der Fläche beruft. Gerade die Artikulation der Mediumsbedingungen der Malerei und damit die Konsequenz der Medienreflexion Gauguins veranlassen diesen aber zu einer radikal vom Bildlichen her (und nicht vom Literarischen)

argumentierenden symbolischen Bildsprache, welche demnach auch primär von den Bildmitteln her Distanz bzw. Diskrepanz in die bildliche Erscheinung des Gegenständlichen bringt.
Konkret bedeutet dies für die Malerei Gauguins, daß Gegenstände weniger als Gegenstände denn als Formen wahrgenommen werden, so daß die Bildwahrnehmung – von abstrakten Flächenwerten ausgehend – auf Gegenständliches erst im Prozeß der Bildlektüre, im nachhinein und unter besonderen Bedingungen trifft. Die Flächenwerte in ihrer je bestimmten Anordnungsweise bilden folglich den Rahmen, in dem Gegenständliches zur Erscheinung gelangt. Allerdings so, daß gegenständlich Erscheinendes nie mit der Form, in der es zur Erscheinung gelangt, identifiziert werden kann, daß folglich immer eine Differenz bleibt zwischen Form und Erscheinung, Zeichen und Bezeichnetem und damit zwischen prinzipieller Bild- und aktueller Dingordnung.
Auf der anderen Seite bringt die Zurückführung bzw. Umdeutung von Konkret-Gegenständlichem auf formale Flächenwerte eine deutliche Erweiterung der Kombinationsmöglichkeiten von Motivformen, eine neue Freiheit im bildnerischen Umgang mit der Gegenstandswelt. Denn in dem Maße, wie der Zeichencharakter von Dinglichem betont wird, verwandelt Gegenständliches sich zu einem schier unerschöpflichen Formenreservoir, über das zum Zwecke des Aufbaus einer eigenen Bild-Zeichen-Sprache, eines Bildaufbaus nach Zeichen, frei verfügt werden kann. Dabei wandelt sich – gemäß der jeweiligen Kombination – natürlich auch die bedeutungsmäßige Qualifikation des verwendeten Gegenständlichen, die folglich aus

dem Kontext des Bildlichen, d. h. als eine neu gestiftete herausgelesen werden muß.
Hierin liegt dann aber der grundlegende Unterschied von Gauguins Malerei zu jener Ausprägung einer symbolistischen Bildsprache, wie sie etwa Gustave Moreau entwirft, die in Wahrheit weniger symbolistisch oder symbolisch, als vielmehr surreal oder irreal benannt werden müßte. Denn Moreau nimmt nicht nur nicht jene Differenz zwischen Zeichen und Bezeichnetem in sein Gestaltungskonzept auf – wie seine Darstellung des Jakobskampfes von 1878 deutlich machen kann (Abb. 24) –, sondern sucht im Gegenteil seine traumhaften Visionen augentäuschend, als wirklich vorzustellen, d. h. als Einheit von Form und Wirklichkeitserscheinung. Entsprechend gibt es bei Moreau keinen Bruch im Bild, sondern die bruchlose Darstellung einer anderen Welt: Nicht die wirkliche Welt wird durchschaut, sondern eine andere angeschaut, in der sich ungewöhnliche, meist literarisch besetzte Motive in augentäuschender Darstellung zusammenfinden.
Gauguin selbst hat den Unterschied zwischen einer solchen symbolisierenden Malerei und seiner symbolistischen oder ideistischen Malerei im Hinblick auf Puvis de Chavannes deutlich gemacht. In einem Brief an Charles Morice vom Juli 1901 beklagt er sich zunächst darüber, daß man ihm vorwerfe, seine Bildideen seien unverständlich im Unterschied zu Puvis de Chavannes, dessen Bilder immer verständlich seien und der stets wisse, die seinen Bildern zugrundeliegenden Ideen klar herauszustellen. Dann gibt er eine Erklärung: »Ja, Puvis erläutert seine Idee, aber er malt sie nicht. Er ist Grieche, ich bin ein Wilder, ein Primitiver, ein Wolf in den Wäldern ohne Halsband. Puvis wird etwa ein Bild

24 Gustave Moreau, Jakob und der Engel, 1878

›Pureté‹ – Reinheit – nennen, und um es zu deuten, malt er eine Jungfrau mit einer Lilie in der Hand: Ein Symbol, das jeder kennt und folglich auch versteht. Gauguin wird unter dem gleichen Titel eine Landschaft malen mit einem durchsichtig klaren Wasserlauf, noch nicht besudelt von der zivilisierten Menschheit. Ohne in Einzelheiten einzugehen: Eine Welt scheidet Puvis und mich. Puvis, der Maler, ist ein Gelehrter, aber kein Dichter. Ich bin kein Gelehrter, aber vielleicht ein Dichter.«[51]

»Puvis erläutert seine Idee, aber er malt sie nicht.« Das ist der entscheidende Satz mit der Forderung an sich selbst: Ideen nicht zu erläutern, nicht in Literatur umzudenken, sondern Ideen zu malen. Ideen malen, d.h. nicht Begriffe illustrieren, sondern innerhalb der Darstellung ein Konzept entwickeln, in dessen Verfolg die Idee gleichsam aus dem Gegenständlichen selbst und durch dieses hindurch erschaut werden kann. Entscheidend ist folglich die Doppelwertigkeit, die Zwiespältigkeit und Doppeldeutigkeit des gegenständlichen Erscheinens, jener Bruch in der Gegenstandswelt, der allererst die Möglichkeit symbolistischen oder ideistischen Bedeutens eben dieser Gegenstandswelt eröffnet.

Auf der anderen Seite ist es aber notwendig, daß die sich so verselbständigenden Formflächen der Gegenstände als Bild-Sprachzeichen zu einer Bildschrift finden, d.h. in einen bestimmten Ordnungszusammenhang eintreten, in dem sich nun bestimmte Bildaussagen treffen lassen. Um einen solchen bildlichen Zusammenhang zu erreichen, stellt Aurier seine dritte Forderung auf, daß nämlich wahre Malerei *synthetisch* sei. Der Begriff Synthese gehört zunächst zu den Lieblingsbegriffen Gauguins und seiner Freunde, und dient nicht zuletzt als Kampfruf gegen den Divisionismus oder Impressionismus; freilich erst nach und nach. So wurde noch die erste Leistungsschau Gauguins und seiner Freunde im Café des Arts bzw. Café Volpini angekündigt unter dem Namen: »Groupe Impressioniste et Synthétiste«, wohl ein Verlegenheitsetikett, das nicht zuletzt gewählt worden war, um Freunden, die sich (noch) nicht zur neuen, von Gauguin dominierten »Richtung« bekennen mochten, den Zugang zur Ausstellung nicht zu versperren.

Von diesem eher unentschlossenen und halbherzigen Synthetismus wird hier nicht die Rede sein, auch nicht von dem später modisch gewordenen, schlagwortartigen Begriff »Synthese«, dem Gauguin zunehmend distanziert gegenüberstand, den er auch ironisierte und z. B. »Saintaise« nannte, »weil sich das auf ›foutaise‹ (Unsinn) reimt«.[52] Sondern synthetisch soll hier im Sinne Auriers verstanden werden wiederum als eine Ausführungsbestimmung zur symbolistischen und damit letztlich ideistischen Malerei. Solcherart geht es synthetischer Malerei um den bildlichen Zusammenhang, darum, die einzelnen Formflächen miteinander zu verbinden, einen zwingenden Zusammenhang zu schaffen, um so – in Verbindung mit der inhaltlichen Aufladung jener zur Einheit frei kombinierten Formflächen – Ideen zur Anschauung bringen zu können.

Gauguin erreicht aber die bildnerische Synthese dadurch, daß er – wie bereits gesagt –

1. alle Gegenstandsformen in Flächenformen übersetzt; d. h. jede Form kann in ihrer Erscheinung gesehen werden als hervorgegangen aus einer Unterteilung der Gesamtbildfläche, die infolgedessen die

Einheit repräsentiert und im Bild des »Jakobskampfs« durch den roten Grund in dieser Funktion auch nachdrücklich unterstrichen ist. Dadurch erscheinen aber die Gegenstandsformen (Menschen, Tiere, Bäume usw.) nicht *vor* einem Grund, sondern *in* ihm, bleibt der Figur-Grund-Austausch ein entscheidendes Bildmittel Gauguins für seine Malerei als einer synthetischen Malerei.
Zugleich aber und 2. wird dieser bildliche Zusammenhang der Formen und Motive durch ein weiteres Bildmittel verstärkt und damit die Synthese präzisiert, nämlich durch die Linie. Gauguins Flächenformen sind konturiert, d.h. von Linien umzogen, welche die Flächen als farbige Werte sowohl einschließen als auch miteinander verbinden wie Bleiruten die farbigen Glasstücke in einem mittelalterlichen Glasfenster. In dem Maße aber, wie die Linien die farbigen Flächen zugleich voneinander scheiden und miteinander verbinden, liefern sie vielleicht das entscheidende Darstellungsmittel für die neue Malerei, da sie – im Unterschied zu den Farbflächen – einen geschmeidigeren und dabei deutlicheren Zusammenhang zu stiften in der Lage sind.
Freilich sei auch darauf hingewiesen, daß Gauguin diese Form der Verwendung von Linien ohne Zweifel Bernard verdankt, wie ja überhaupt der Cloisonnismus[53] – ein anderer Begriff für diese Art synthetischer Malerei, der aber einseitig das Trennende, die Scheidewand betont, weniger das Verbindende, das für Gauguin um so vieles wichtiger war – von Anquetin und seinem Freund Bernard als Darstellungsverfahren entwickelt worden war. Doch fügt sich dieses Verfahren in die bildliche Synthese Gauguins weitaus wirksamer ein

als den mitunter sehr heterogen erscheinenden Bildkonzepten Bernards.

Gerade daran kann aber auch gelernt werden, daß das Gelingen eines synthetischen bzw. symbolistischen oder ideistischen Bildes nicht aufgrund eines Schemas, d. h. aufgrund einer verallgemeinerbaren und damit übertragbaren Bildsprache vorprogrammiert werden kann, daß z. B. eine bestimmte Art und Weise, farbige Flächen mit schweren schwarzen Linien zu umfahren, noch nicht die Gewähr gibt für eine überzeugende bildliche Leistung symbolistischer oder ideistischer Malerei. Denn diese hängt sehr stark von der Subjektivität des Künstlers ab, von seiner persönlichen Potenz zu Synthese- und Symbolstiftungen, also von dem, was Aurier in seiner 4. Forderung als subjektiv benennt.

Wahre Malerei und – in diesem Sinne – ideistische Malerei, welche sich im Zusammenhang mit symbolistischen und synthetischen Darstellungsweisen konstituiert, bestimmt sich demnach als *subjektiv*; denn die zeichenhaften oder symbolischen Formen, welche eine Idee ausdrücken sollen, und ihr Kontext müssen erfunden werden, sie werden nicht vor oder in der Wirklichkeit aufgefunden. Gauguin mußte also nicht nur die Kampfszene erfinden, d. h. als Symbol für seine Idee der Wahrnehmung von Wirklichkeit, während er sie als Motiv von Hokusai entlehnte; er mußte sie zugleich als zeichenhafte erfinden, nämlich als eine solche, von der aus die Vorstellung des Betrachters auf die Idee hin gelenkt werden konnte. Gerade dazu aber bedurfte es wiederum eines Kontextes, der solche Lenkung bildlich zu ermöglichen vermochte und den Gauguin dann in der Genreszene erfand.

 Wobei die Besonderheit gerade der »Vision nach der

Predigt« als Bild darin besteht, daß Gauguin den subjektiv erfundenen Zeichen und Formen und ihrem ebenso subjektiv gestifteten bildlichen Zusammenhang eine gleichsam objektive Zugangsmöglichkeit zu eröffnen suchte, indem er die Wahrnehmung dieser subjektiv gestifteten Formzeichen und dieses subjektiv gestifteten Formzusammenhangs selbst wieder im Bild (durch die Bäuerinnen) und als Bild thematisierte, folglich als Bildprozeß reflektierte, um so die aktive Vorstellungskraft des betrachtenden Subjekts, d.h. sein Durchsehen als Bedingung für die Erfahrung der Idee bildlich einzufordern. Infolgedessen entspricht der subjektiven Erfindung von Bildformen und -kontext auf seiten des Künstlers die verstärkte Aktivierung des subjektiven (durchsehenden) Sehens auf seiten des Betrachters.

Wahre Malerei bestimmt sich demnach durch die vom Subjekt verantwortete Erfindung von Bildzeichen und -kontexten, die – durch Einforderung eines durchsehenden Sehens und damit der Sehaktivität des Betrachters – die anschauliche Bildidee eröffnen; wahre Malerei, die dann solcherart, nämlich die Kriterien eins bis vier übergreifend, von Aurier als *dekorative* Malerei verstanden und solchermaßen auch in Punkt fünf angesprochen wird. Dekorativ meint in diesem Zusammenhang frei von Eigenbedeutung bzw. Selbstbezüglichkeit, umschreibt eine funktional verstandene Malerei, die ›Anderes‹, nicht sich selbst schmückt, wobei das ›Andere‹ als Prinzip im Dekorativen zur Erscheinung gelangt. Ein Teppich z.B. kann in dieser Weise dekorativ sein, das heißt, wenn er figürlich oder ornamental verziert ist. Dekorativ unterscheidet sich hier von darstellend dadurch, daß jedwede Figuration *zweckhaft* eingesetzt, nämlich auf den Teppich insgesamt, seine Größe, sein Format usw. bezogen und dabei selbst konkret *Bestandteil* des Teppichs ist. Es fehlt das Selbstzweckhafte der Formen und Figurationen einer Darstellung, wobei – selbstverständlich – auch Teppiche sich zu Darstellungsträgern wandeln, Bilder zeigen können; aber dann sind sie eben nicht mehr ›nur‹ dekorativ.

Jene, für das System des Dekorativen typischen Merkmale bestimmen aber weitgehend Gauguins Bild. Zum Beispiel jene laufende Verbindung von figürlichen und nicht-figürlichen Flächen im Sinne eines Musters und damit das Prinzip des Figur-Grund-Austauschs, das typisch ist für dekorative Werke, z. B. Teppiche und zugleich jeder illusionistischen Darstellung widerspricht, von daher aber für den *synthetischen* Charakter der ›wahren‹ Malerei Gauguins von entscheidender Bedeutung sein sollte. Oder die Schematisierung des Figürlichen (bei Teppichen teilweise bedingt durch die Knüpftechnik), das Zeichenhafte der Figuration, das dieser von vornherein die Selbstbezüglichkeit nimmt und sie dadurch von vermeintlich wirklichen Figuren unterscheidet; ein Abstraktionsvorgang folglich, der für den *symbolistischen* Aspekt der ›wahren‹ Malerei Gauguins von entscheidender Bedeutung sein sollte. Oder der Objektcharakter eines solcherart geschmückten Teppichs, bedingt durch das Dekorationsprinzip der figürlichen und nicht-figürlichen Figuration, das – zweckhaft bestimmt – den Teppich als einen konkreten Gegenstand artikuliert, indem es ihn ornamentiert. Der Objektcharakter des dekorativen Kunstwerks weiß sich radikal unterschieden vom Bildcharakter traditioneller Darstellung. Folglich kein »offenes Fenster auf

Welt«, *durch* das man illusionistisch Formen und Zeichen als Wirklichkeit wahrnimmt, da man die Bildfläche übersieht, sondern konkret-dinghafte, gewirkte Fläche, *in* der Formen und Zeichen zusammen mit der Fläche als Einheit wahrgenommen werden. Und dies möchte als das entscheidende Kriterium der ›wahren‹ Malerei Gauguins verstanden werden, nämlich ihren *ideistischen* Aspekt pointierend, das neue Bildkonzept, daß nämlich die Fläche und nicht der Raum, die Ordnung des Bildlichen und nicht die des vermeintlich Wirklichen, das Geistige und nicht das Materielle zur Darstellungsgrundlage bildlicher Realisierungen berufen werden.

Da diese Merkmale sich aber als typische Erscheinungsformen dekorativer Darstellungsweisen benennen lassen, wird man Aurier durchaus zustimmen können, wenn er die ›wahre‹ Malerei Gauguins insgesamt als *dekorativ* anspricht, ist doch dekorative Malerei in seinem Sinne »nichts anderes als eine Manifestation von zugleich subjektiver, synthetischer, symbolischer und ideistischer Kunst«. Anti-Illusionismus bietet hierzu die entscheidende Weichenstellung oder – um mit Gauguin zu sprechen – die »Abstraktheit« der bildlichen Darstellung. Sie ist auch wesentlich beteiligt an der Provokation des Betrachters zu aktivem Sehen und damit zur Durchsehung der im Bilde erscheinenden Objekte auf die Möglichkeit der Veranschaulichung einer Idee, d.h. beteiligt am optisch geleiteten Übersetzungsvorgang der Gegenstandsformen in die Buchstabenformen jenes sublimen Alphabets des Ideellen.

Die Grundlage für diesen bildlichen Abstraktionsvorgang als Grundlage der neuen Malerei geliefert zu haben, ob sie sich nun ideistische oder synthetische, symbolistische oder dekorative Malerei nennen mag, dies zu betonen und herauszustellen hat Émile Bernard von 1891 an nicht nachgelassen; damit hat er den Anspruch erhoben, selbst – und anstelle von Gauguin – das Haupt der Schule von Pont-Aven gewesen zu sein.

Das Bild, mit dem Bernard diesen Anspruch vor allem zu untermauern suchte, ist das im August 1888, also zeitlich vor Gauguins »Vision nach der Predigt« entstandene Gemälde der »Bretoninnen in der Wiese« (Abb. 2), und er ist, so muß man wohl sagen, in diesem Unterfangen nicht ohne Echo und Erfolg geblieben. So vertrat schon 1892 Roger Marx etwa Bernards Position: »Émile Bernard… hat bereits vor Gauguin diese seitdem als symbolistisch bezeichnete Ästhetik eingeführt. Der Genauigkeit seiner Vorgänger setzte er eine ganz imaginative Auffassung entgegen, zudem eine ebenfalls imaginative Ausführung, die entstellt, um besser zu charakterisieren und Moral und Gefühl mit großer Autorität hervorzuheben.«[54] In der Tat zeigt Bernards Gemälde eine sehr weitgehende Reduktion der menschlichen Figur auf Formflächen, eine »Entstellung«, wie Marx formuliert, und die Formflächen werden auch mit einem starken Kontur umgrenzt, so daß Bernard mit der Vereinfachung der Formen und der linearen Präzisierung eindringliche Typisierungen und fast karikaturhafte Formulierungen gelingen.
Für diese Wirkung mitentscheidend ist aber auch die Tatsache, daß alle momentanen, augenblicklichen oder atmosphärischen Züge, die nicht die Figurengestalt selbst betreffen, im Bilde getilgt sind. Dazu gehört zunächst – und sicherlich von zentraler Bedeutung – der fast monochrome, wenn auch noch am Gegenständlichen orientierte grüne Grund, die Wiese, die in die Fläche geklappt, von sich aus keine räumliche Diffe-

renzierung des Dargestellten ermöglicht. Eine solche kann allein von den dargestellten Personen selbst her erreicht werden, d. h. allein durch die Größe und das Verhalten des Bildpersonals zueinander, folglich aufgrund der optischen Relationierung von Flächenwerten.

Bernard vermag so mit wenigen und sparsam eingesetzten Mitteln, kaum Farbe, wenig Modellierung und ohne Perspektive nicht nur im Bilde Räumlichkeit zu erzeugen, sondern auch die dargestellten Personen nach Geschlecht, Alter und Tätigkeit zu differenzieren. Und er vermag dies aufgrund der vielfachen Kombinationsmöglichkeit seiner auf formale Figurationen reduzierten Frauenfiguren. So ist z. B. die füllig sitzende Frau nicht nur als horizontal verbindlicher Wert eingesetzt, sondern zugleich über die Haube als Räumlichkeit aufschließende Gestalt, insofern die Diagonalrichtung ihrer Haube im Vordergrund von der Haube der im Profil gegebenen und vom unteren Bildrand überschnittenen Bäuerin aufgenommen wird, so daß vom Vordergrund aus ein auch räumlich zu lesender Leitwert über den Mittelgrund bis hin zu den Profilfiguren des Hintergrundes am linken Bildrand führt. Auf diesen Leitwert beziehen sich echohaft die beiden sitzenden Frauen (mit rotem Schirm), ebenfalls im Hintergrund, wobei die vordere mit ihrem Schirm zugleich auf das en face gegebene Kind weist, das selbst wiederum den Vertikalwert der Makrostruktur markiert, der das Bild in zwei Hälften unterteilt.

Bernard arbeitet folglich mit einer primären Orthogonal-Struktur, die er aber nicht mittig, sondern nach links verschoben ansetzt und die er dann durch diagonale Strukturwerte differenziert. Dabei ermöglichen

vor allem letztere eine auch räumliche Lektüre des Bildes. Denn nicht nur auf der linken, auch zur rechten Seite hin finden sich raumaufschließende Diagonalen, freilich nicht in Form von Linien-, sondern von Formbezügen. Der Abfolge von füllig sitzender Frau links, stehenden Frauen in der Mitte und Sitzenden im Hintergrund rechts liegt formal eine Diagonale zugrunde, die, parallel verschoben, als konkreter Leitwert lediglich im Rand der Haube der überschnittenen Profilfigur am unteren Bildrand auftaucht. So treffen sich die Diagonalwerte von links und rechts in dieser Profilfigur, bilden eine Spitze, von der aus das Bild dann nach beiden Seiten räumlich erschlossen werden kann.
Freilich bietet Bernards Bild nicht nur ein klar gegliedertes, in seiner Gliederung ausgeglichenes und in der Ausgeglichenheit von vertikalen, horizontalen und vermittelnden diagonalen Gliederungswerten überzeugend balanciertes Bildganzes, sondern seine Darstellung bietet zugleich ein Arsenal neuer Gestaltungsideen, wie die Reduktion des Gegenstands Wiese auf eine monochrome Grundfläche oder die Reduktion der Dingformen auf zeichenhafte Flächenwerte und damit die Möglichkeit zu neuen und freien Formkombinationen. Auch die Unterdrückung des atmosphärisch Momentanen, die Tilgung von Licht und Schatten wäre hier zu nennen oder die Eingrenzung der einzelnen Flächenformen durch schwarze Konturen.
Kein Zweifel, Bernard setzte sich mit diesem Bild deutlich vom Impressionismus ab, vom farbig differenzierten, Formen ausfransenden, lichtdurchfluteten und atmosphärisch einmaligen Augenerlebnis. Und setzte sich zugleich mit an die Spitze der Entwicklung zu einem neuen, festen und dauerhaften Bilderleben, für

das er hier entscheidende Kriterien formulierte. Kein Zweifel auch, daß Gauguin von diesem Bild her entscheidende Anregungen für seine Malerei bezog. Gleichwohl wird man Bernards Bild nicht symbolistisch oder ideistisch nennen können, allenfalls synthetisch. Denn seinem Bild fehlt, was eine Idee zur Anschauung bringen könnte: Die Logik des Symbolischen, vielleicht überhaupt das Symbolische. Zeichenhafte Formen, die Reduktion des Gegenständlichen allein reichen noch nicht, um Ideen zu veranschaulichen; dazu bedarf es nicht nur des schematischen Reduktionsprozesses, sondern vor allem eines imaginativen Produktionsprozesses: Es gilt, die reduzierten Formen symbolwertig aufzuladen und zugleich einen Kontext aufzumachen, d. h. eine bildliche Syntax zu erfinden, in der symbolische Formen verstanden werden können.

Was Bernards Bild der »Bretoninnen in der Wiese« demgegenüber zeigt, ist die in den Bildmitteln radikal reduzierte Darstellung einer Genreszene, Landvolk auf der Wiese. Wohlgemerkt, radikal reduziert, aber nicht innerlich gebrochen und ohne bildlichen Entwicklungsprozeß. Das heißt, Bernard gibt eine Sprachform vor, ein bildliches Sprachschema – wenn man so will –, ohne sich aber wirklich darin auszudrücken, vielleicht ausdrücken zu können. Ihm fehlte offenbar die Einsicht in seine Sprachmöglichkeiten, fehlte die künstlerisch überzeugende Subjektivität und damit die eigentlich überragende künstlerische Potenz.

Diese aber besaß Gauguin, jene – wie Aurier formulierte – transzendentale Erregbarkeit, »welche die Seele zittern läßt von dem sanft sich bewegenden Schauspiel der Abstraktionen«. Tatsächlich besaß Gauguin die Fähigkeit, zu sehen, was mit diesen Sprachformen Bernards ausgedrückt werden könnte, ersah er die künstlerischen Möglichkeiten einer solchen Bildsprache und probierte sie aus, ja, stellte sie in der »Vision nach der Predigt oder Jakobs Kampf mit dem Engel« auf die Probe.

Eine Vision nach der Predigt, das war Bernards Bild vielleicht für Gauguin. Zumindest könnte es ihm nach den endlosen theoretischen Debatten mit Bernard, bei denen er zumeist der Nehmende war, also derjenige, dem der philosophisch geschulte und intellektuell äußerst rege Bernard predigte, als Vision erschienen sein. Und sein Kampf mit dem Engel, das wäre dann auch und nicht zuletzt der Kampf mit diesem Bild Bernards, mit den »Bretoninnen in der Wiese«. Zumindest in diesem Kampf behielt Gauguin die Oberhand, setzte er sich gegen den Engel durch: Er entfaltete seine Kunst und erkannte klar seine künstlerische Berufung. Der Kampf mit Bernard, das war der eigentliche Ausgangspunkt für Gauguins eigenen, neuen Weg in die Kunst der Moderne.

Das Bild der »Bretoninnen in der Wiese« blieb aber Vorbild, ein großer Wurf, auch wenn Bernard dies selbst zunächst nicht erkannte; jedenfalls übersah er die darin angelegte Möglichkeit zu einem neuen, verbindlichen Stil. Diese zu sehen und produktiv zu nutzen, bedurfte es einer wirklichen Künstlerpersönlichkeit, die Bernard nicht war, wohl aber Gauguin: »Begegnen wir einem echten Stil in der Kunst, so sind wir erfreut und erstaunt, denn wir erwarten einen Autor, wir finden aber einen großen Menschen«, so formulierte Blaise Pascal. Und in diesem Sinne mag Bernard durchaus als Autor einer neuen Malerei pas-

sieren; jener »große Mensch« aber, der die neue Malerei mit Leben erfüllt und sie zu einem Stil erhoben hat, das eben war Paul Gauguin.
Entsprechend reagierte Gauguin auch eher ironisch auf die angestrengten Bemühungen Bernards, sich zum »Vater des französischen Symbolismus« (C. Anet) ausrufen zu lassen, wie der Brief vom Juni 1899 an Maurice Denis deutlich machen kann: »Alle Welt weiß ja, daß ich meinen Lehrer und Meister Émile Bernard richtiggehend bestohlen habe. Er hat es ja selber drukken lassen. Um alles, Malerei und Skulptur, habe ich ihn geprellt. Ihm ist gar nichts mehr geblieben!«[55] Doch sollte man auch seine früheren Bemerkungen über den jetzigen Rivalen im Gedächtnis behalten: »Der kleine Bernard ist hier und hat aus St. Briac interessante Sachen mitgebracht. Das ist einer, der vor nichts zurückschreckt«[56] (an Schuffenecker am 14. 8. 1888). Zumindest sollte man sich daran erinnern, daß Gauguin jenes Bild, in dem der »kleine Bernard« angeblich vor nichts zurückschreckte, eben das der »Bretoninnen in der Wiese«, vom Autor im Tausch erbat: Gauguin hat Bernard tatsächlich nicht bestohlen, sondern er hat das Bild geschenkt bekommen, mit dem dann Bernard argumentieren sollte, Gauguin habe ihm die symbolistische Malerei zu verdanken.
Gauguin hat dieses Bild hoch in Ehren gehalten, hat das Geschenk wie einen Talisman behandelt. Es war im übrigen das einzige Bild, das Gauguin mit sich führte, als er am 23. Oktober 1888 zu nachtschlafender Zeit in Arles eintraf.

## Das Gegen-Bild

Nur Bernards, kein eigenes Bild war im Gepäck, als Gauguin mit Vincent van Gogh zusammentraf, und entsprechend stark interessiert zeigte sich Vincent an diesem Gemälde. Er fertigte auch eine Aquarellkopie an (Abb. 25), die gleichwohl Veränderungen aufweist. Dabei reichten wenige und scheinbar unwichtige Korrekturen, die zunächst gar nicht auffallen, um die eher statische und lakonische Erscheinung des Bernardschen Bildes zu verlebendigen, d.h. sie gleichsam mit Spannung und Atmosphäre zu beseelen. So genügt – um nur einiges anzudeuten – die stärkere Schwingung des Haubenkonturs der im Profil gegebenen Vordergrundfigur, um mit dem Haarkontur und dem Ohr zusammengesehen zu werden und schließlich in Verbindung wieder mit dem Formwert des nun deutlich geöffneten Auges als aktuell ausgerichtet und bezogen auf die en face gegebene Bäuerin zu erscheinen. Während diese, näher an ihre Gesprächspartnerin gerückt, vor allem durch die optische Verbindung von diagonalem Schulterkontur rechts und ebenso gerichtetem Augenbrauenkontur links zu einem durchgehenden Richtwert, stärker auf die Profilfigur eingeht. Ähnliches kann auch bei den übrigen Figuren des Aquarells festgestellt werden: Sie finden Kontakt, zeigen Interesse aneinander und bringen so einen übergreifenden Zusammenhang zur Geltung, der in Bernards Fassung fehlt.

Sicherlich unbewußt deckt van Gogh so mit wenigen Zügen Defizite der Bernardschen »Bretoninnen in der

Wiese« auf, vor allem jenes Defizit, daß Bernards Formreduktion letztlich nicht zu einer neuen Bildlichkeit im Sinne ideistischer Bildproduktion führt. Zwar werden die Formen vereinfacht, geometrisiert, jeweils für sich belassen und dann wie in einem Bildmuster zusammengefügt. Aber es fehlt die leitende Idee als Voraussetzung für die Notwendigkeit eines solchen Reduktionsprozesses bzw. einer solchen Zusammenhangbildung. So stellen Bernards »Bretoninnen in der Wiese« vornehmlich ein kühnes bildsprachliches Experiment dar, dessen künstlerische Aussagemöglichkeiten aber vom Autor selbst nicht erkannt werden.
Gauguin erkannte sie, auch van Gogh. Denn letzterer verwendet in seiner ›Kopie‹ die Vereinfachung der konkreten Gegenstandsformen nicht einfach zu ihrer Typisierung, sondern zu ihrer Präzisierung und dabei zu einer fast karikaturhaft erscheinenden Klarlegung aktueller Bezüge, konkret zur Herausstellung der *Anteilnahme* der jeweiligen Figuren aneinander. Zugleich bringt er die solcherart präzisierten Figuren in einen Zusammenhang mit ihrer formalen Genese als Teilwerte eines Flächenmusters, da er ihre ›aktuelle‹ Anteilnahme, ihre Ausrichtung aufeinander als optisches Äquivalent für die Idee ihres prinzipiellen Verbundenseins aufruft, so daß deren elementare Zusammengehörigkeit durch eine Genreszene hindurch zur Geltung gelangt.
Indem van Gogh in dieser Weise mit wenigen Akzentsetzungen das Vorbild Bernards änderte, fügte er nicht nur behutsam Korrekturen ein, sondern machte er sich das Bild zu eigen, d. h. er brachte seine Subjektivität, seine künstlerische Persönlichkeit ins Spiel, die ja in einer besonderen Weise im Zentrum gerade seines

Kunstschaffens steht. Van Gogh will sich »stark ausdrücken«, will das *Erleben* der Welt, nicht die Welt, zum Gegenstand seines künstlerischen Schaffens erheben. Dies scheint ansatzweise mit Vorstellungen Gauguins zusammenzugehen, der ja gleichfalls Welt nicht einfach wiedergeben will. So schreibt Gauguin in dem schon erwähnten Brief an Schuffenecker vom 14. 8. 1888: »Ein guter Rat: Malen Sie nicht zu viel nach der Natur. Das Kunstwerk ist eine Abstraktion. Ziehen Sie es aus der Natur heraus, indem Sie vor ihr nachsinnen und träumen. Denken Sie aber mehr an das zu Schaffende, das das Ziel sein muß. Nur so steigt man auf zur Gottheit, indem man es macht wie unser göttlicher Meister: nämlich schöpferisch tätig ist.«[57] Allerdings diese Art von nicht-mimetischer Malerei hatte van

**25 Vincent van Gogh, Bretonische Frauen und Kinder, 1888, nach Bernards »Bretoninnen in der Wiese«**

Gogh nicht im Sinn. Er wollte vor der Natur nicht nachsinnen und träumen, sondern sich mit ihr auseinandersetzen, wollte sich in sie hineinversetzen. Ganz anders als Gauguin benötigte van Gogh den unmittelbaren Kontakt mit der Gegenstandswelt, bedurfte er des Konkreten als Anhalt und Rahmen für seine von innerer Anteilnahme geleiteten Deutungen.

Von daher gab es schon in den Grundauffassungen deutliche Unterschiede zwischen Gauguin und van Gogh, die letzterer – durch anfangs willige Anpassung an Gauguin – zwar zu überspielen suchte, die Gauguin aber klar erkannte und in dem bereits zitierten Brief an Bernard vom November 1888 auch offen aussprach: »Vincent und ich stimmen selten überein in unseren Ansichten, besonders was die Malerei angeht. Er bewundert Daumier, Daubigny, Ziem und den großen Rousseau, alles Leute, die ich nicht ausstehen kann. Dafür verabscheut er Ingres, Raffael, Degas, die ich bewundere. Um bloß Ruhe zu haben, antworte ich: ›Jawohl, Herr Unteroffizier, Sie haben recht!‹ Ihm gefallen meine Bilder sehr, aber wenn ich sie male, hat er immer dies und das auszusetzen. Er ist Romantiker, und ich habe mehr für die Primitiven übrig. Was die Farben anlangt, so liebt er das Zufällige des Impasto wie Monticelli, während ich die unordentliche Ausführung hasse usw.«[58]

Offensichtlich blieb van Gogh doch nicht der willfährige Schüler, den Gauguin sich vorgestellt hatte, stieß er zunehmend auf Kritik bzw. Widerstand. Van Gogh war ohne Zweifel von anderer Statur als jene ›Schüler‹, die Gauguin in Pont-Aven gefunden hatte. Und van Gogh erkannte wohl selbst, daß seine Art zu arbeiten mit der Gauguins kaum in Übereinstimmung zu bringen war. Gauguin selektiert in seiner künstlerischen Arbeit, versucht eine verallgemeinerbare Ausdrucksform zu finden, eine ›Sprache‹, die Anschauungen, Gefühle usw. intersubjektiv vermittelbar macht. Es ist aber diese rationale Form der Formfindung und Formkombination, die Gauguin deutlich von van Gogh trennt. Van Gogh will sich vor allem stark ausdrücken. In dem Maße, wie ihm das gelingt, werde seine Botschaft – so van Gogh – schon die anderen treffen. Sein Engagement und die Offenlegung seines Engagements sieht er als Vehikel an, um die Menschen zu ergreifen: Eine undistanzierte, radikale Hingabe des Menschen van Gogh an die Menschen.

Gauguin dagegen bleibt distanziert, behält Abstand, jetzt, aber auch später, in der Südsee. Gauguin will Aufklärung durch den bildlich eröffneten Aufweis, wie Wirklichkeit wirklich sei, nämlich harmonisch und glücklich, wenn man Wirklichkeit nur wirklich wahrnähme. Deshalb sucht er nach einer Sprachform, die dem Menschen diese wirkliche Wirklichkeit optisch zu vermitteln vermag. Er ist der Seher, der mehr sieht als die anderen, der für sie vorsieht und aus dieser Position heraus Bilder schaffen möchte, die Beispiele von Glück und Harmonie geben, Werte, die – seiner Meinung nach – nicht aus der Wirklichkeit, sondern nur aus der aktuellen Sicht von Wirklichkeit verschwunden seien. Gauguin steht folglich als Seher über den Menschen, er muß über ihnen stehen, wenn er weiter sehen will.

Van Gogh dagegen steht nicht über den Menschen, sondern mit ihnen in einer Reihe. Er sieht genau wie die anderen, er kann nicht vorsehen für die anderen, er kann nur tiefer, intensiver sehen und damit grundsätzlicher erleben, was auch die anderen erleben. Er sieht folglich die gleichen Dinge wie die anderen, die gleichen Landschaften oder alten abgetragenen Schuhe, aber er sieht sie intensiver, sieht tiefer und auf ihren Grund, sieht dort Verbindungen und elementare Beziehungen. Erkennt sie aber dadurch, daß er sich in die Dinge hineinversetzt, nicht dadurch, daß er sich von ihnen löst – wie Gauguin. Deshalb benötigt van Gogh das Motiv vor sich, um sich hineinversetzen zu können, benötigt er den Widerstand des Motivs, um seine Gefühlsströme kanalisieren zu können. Gauguin hingegen kann der permanenten Anschauung des Gegenständlichen entraten; das Motiv hat für ihn Anregungs-, nicht Erkenntnisdimensionen. Gauguin sucht Anregung für sein sublimes Alphabet, das er auch fortwährend erweitert und umschreibt, mit dem er aber frei, aus dem »Gedächtnis« – wie er selbst sagt – formuliert. Entsprechend entsteht eine Distanz zu seinem Vorwurf, systematisch, überlegt.

Gauguin arbeitet so in Richtung ideistischer Abstraktion, van Gogh hingegen – zunehmend selbständiger und selbstbewußter werdend – in Richtung expressiver Konkretion. Die »Laboratoriumsatmosphäre«, in der beide auf engstem Raum nebeneinander auf Entwicklungen ihrer Konzepte und auf Entdeckungen aus sind, sich dabei gegenseitig genau beobachtend bis beschattend, mußte hochgespannt sein, und es mußte zur Entladung kommen, zum entscheidenden Kampf der beiden Kunstgiganten.

Die dramatischen Ereignisse des 23. Dezember 1888 sind allgemein bekannt und brauchen hier nicht eigens wiedergegeben werden.[59] Allerdings sollte doch darauf hingewiesen sein, daß wesentliche Elemente dieses

Dramas allein durch Gauguins Aussagen bezeugt sind, wie etwa das vermeintliche Attentat van Goghs auf ihn mit dem Rasiermesser, von dem Gauguin erst 1903, in »Vorher und Nachher« berichtet. Bei einer solchen Quelle scheint aber größte Vorsicht angeraten. Vor allem in diesem Fall, da Gauguin selbst beteiligt war und in keinem günstigen Licht erscheint: Er verläßt den Freund, der sich in größter Not befindet. Das vermeintliche Attentat mit dem Rasiermesser, vielleicht nur der Versuch einer nachträglichen Rechtfertigung seiner Flucht?[60] Zumindest ist Gauguin vor Sonnenaufgang entflohen, hat er den Kampf mit van Gogh nicht bis zum Morgen durchgehalten. War er unterlegen?

Gauguin hatte den Kampf kommen sehen, hatte auch lange versucht, ihm auszuweichen, bis er dann doch nicht zu vermeiden war in jener Nacht, als Gauguin glaubte, der ›himmlische‹, d. h. geistig abstrakte Künstler zu sein, und sich als Schöpfer oder zumindest Lehrmeister sah für den ›irdischen‹, in Selbstzweifeln verstrickten van Gogh: Der Künstler der Abstraktion, der Ideen, der Harmonie, kämpfte mit dem Künstler der seelisch erfahrenen Konkretion, des Ausdrucks, des Mitleidens.

Und auch dieser Kampf sollte eigentlich die ganze Nacht währen, doch der ›Engel‹ hielt nicht stand. Gauguin floh zurück in sein Reich, die Bretagne, ohne Segen für Vincent, ohne neue Namensnennung. Gauguin floh, hielt nicht stand, gab aber seine Unterlegenheit nicht zu. Doch auch van Gogh siegte nicht. Nicht Segen und einen neuen Namen erhielt er, obwohl er durchhielt, wohl aber eine Verletzung. Er schnitt sich das Ohr ab, um von den Predigten Gauguins freizu-

kommen, die Freiheit zu erreichen, auf sich selbst hören zu können; eine brutale Bestätigung der eigenen Kraft, die offenbar ohne Verstümmelung nicht zu erlangen war: Widerstand gegen den Engel und standhalten, ihm gewachsen sein, das scheint ohne Opfer und Verletzungen nicht möglich zu sein.
Aber gerade jenes, was Vincent im Kampf mit Gauguin wirklich wollte, rückhaltlose Anerkennung als Künstler und Unterstützung des eigenen, von ihm selbst bestimmten Wegs, den neuen Namen und den Segen, genau dies verweigerte ihm Gauguin, als er floh. Gauguin wollte nicht weiter kämpfen; ihm mißfiel die ganze Situation in Arles, vor allem aber die permanente Auseinandersetzung mit van Gogh; und er konnte wohl auch nicht mehr weiterkämpfen; denn er sah deutlich die Möglichkeiten jener Malerei, die Vincent auf seinem Wege zu realisieren vermochte, und fühlte, daß sie seine übertreffen könnten. Er sah die Konkurrenz, er sah auch die Qualität dieser Konkurrenz, und zum ersten Mal sah Gauguin wohl auch ein, daß er in diesem Kampf nicht würde siegen können. Er wich aus.

## Vision nach der »Vision«

Anderen Kämpfen aber konnte Gauguin nicht ausweichen, Kämpfen um seine Kunst und seinen Lebensunterhalt. Vielleicht war ihm auch deshalb so viel an Synthese, an Harmonie und Glück in der bildlichen Darstellung gelegen, weil er sie in der konkreten Lebenswelt so schmerzlich vermissen mußte. Zwar suchte er in der »Vision nach der Predigt« das Gegeneinander, das Widersprüchliche und Geteilte als ein Resultat einseitiger Sichtweisen von Wirklichkeit herauszustellen und gleichzeitig zu überwinden, das heißt die falsche schlimme Wirklichkeit durch die richtige Sichtweise in eine in Wahrheit gute Wirklichkeit zu transponieren. Doch konnte ihn diese tröstliche Transposition in Kunst nicht auf Dauer befriedigen, suchte er Harmonie und Glück zunehmend auch im Leben.
Jedenfalls macht er sich auf den Weg, dieses Glück zu finden. Er wird um den halben Erdball reisen nach Ozeanien, wird zurückkehren und von neuem aufbrechen, doch er wird Glück und Harmonie nicht finden, sondern nur Kampf, selbst dort, wo er sich schließlich am Ursprung vermeinte: Die falschen Entwicklungen und Vorstellungen, die er im Bereich der Kunst kurz mit dem großen Irrtum des Griechischen charakterisierte, sie holten ihn auch in der Südsee ein.
Infolgedessen wundert nicht, wenn auch sein zweites großes Grundsatzbild: »Woher kommen wir, wer sind wir, wohin gehen wir?« (Abb. 26) von 1897 in der Tradition des Kampfbildes steht und damit eher eine Kontinuität von Bretagne- und Südseekunst bezeugt als

**26 Woher kommen wir, wer sind wir, wohin gehen wir?, 1897**

einen Bruch zwischen den beiden Schaffensbereichen. Wie schon die »Vision nach der Predigt oder Jakobs Kampf mit dem Engel« so ist auch »Woher kommen wir, wer sind wir, wohin gehen wir?« zweigeteilt. Die Trennung verläuft hier nicht diagonal, sondern vertikal, erfolgt aber wiederum durch einen Baum, der hier allerdings nur virtuell die Grenzlinie markiert; tatsächlich trennt die beiden Bildteile eine bis auf den Lendenschurz unbekleidete Figur, welche sich nach den Früchten des Baumes reckt, die allein vom trennenden Baum der »Vision nach der Predigt« übriggeblieben sind.

Nicht anders als in der »Vision nach der Predigt« sind dann die Seiten unterschiedlich qualifiziert, und zwar anschauungsanalog die linke Seite jeweils als mehr oder weniger wirklichkeitskonform, die rechte Seite

dagegen als Wirklichkeitsvision. Entsprechend zeigt die linke Seite eine räumlich lesbare, zumindest den empirischen Erfahrungen nicht direkt widersprechende Anordnungsweise der Formen und Gegenstände, während sich die der rechten Seite – ganz in die Fläche geklappt und mit ihr verbunden – raumindifferent geben. Und wie bei der »Vision nach der Predigt« weist die linke Seite einen Entwicklungsprozeß auf, während die rechte einen Zustand entfaltet.
Die Entwicklung der linken Seite steht unter der Dominanz des Idols, das von der Mitte aus herrscht, und zwar eine Bildwelt beherrscht, die räumlich rational geordnet, hierarchisch strukturiert und durch Gegensätze und Trennungen gekennzeichnet ist. Dieser kalten, sezierenden d.h. *künstlichen* Ordnung, der das Prinzip der Subordination eignet und für die das Idol

als Symbol stehen mag, fügt sich eine Entwicklung, die vom Tod bestimmt ist, eine Entwicklung zum Tode also, vom Kind, über die erwachsene Frau hin zur alten Frau am linken Bildrand, mit den Insignien des Todes.
Dieser künstlichen Ordnung der linken Seite entgegen steht jene des rechten Bildteils, eine unhierarchische, kreisförmige Zusammenstellung, in der die Figuren koordinativ verbunden sind, ohne Entwicklung und Differenzierung (abgesehen von den langgewandeten Figuren im Mittelgrund), Vision einer ursprünglichen Einheit von Mensch und Natur als einem *dekorativen* System.
Auch wenn die Figuren den Maori angehören und nicht den Bretonen, erweist sich doch die Darstellung »Woher kommen wir, wer sind wir, wohin gehen wir?« in ihrer Konzeption und Problemstellung dem Jakobs-Kampf sinnanalog, könnte ein Vergleich der beiden Darstellungen auch eine wechselseitige Erhellung des ideistischen oder symbolistischen Kerns der Werke veranlassen. In diesem Zusammenhang dürfte die Rolle der Grenze, ihre Setzung und Überschreitung, von besonderer Bedeutung sein; also zum einen der Baum als Barriere, die gleichsam aus den Hauben der Rückenfiguren herauswächst, jenseits der Gestalt des Geistlichen, der als einziger direkt mit dem Kampf verbunden ist (ihn auch provoziert, vielleicht sogar erzählt, ihn aber nicht sieht); zum anderen der Baum, der nur durch seine Früchte sichtbar ist, so daß eigentlich die pflückende Figur trennt bzw. verbindet.
In der Tat trennt diese Figur das Bild in zwei Bereiche, da sie im Motiv des Pflückens formal eine Vertikale anweist, die das Bildfeld von oben bis unten durchmißt.
 Dabei muß sie selbst von der figuralen Erscheinung

her zur rechten Bildhälfte gerechnet werden, während sie von ihrer motivischen Ausrichtung (Körperdrehung, Fußstellung usw.) eher zur linken Seite tendiert. Diese Tendenz wird verstärkt durch die erste Figur der linken Seite, das Kind, das mit dem Apfel das Motiv des Apfelpflückens der trennenden Figur wieder aufnimmt, so daß optisch auch an eine zeitliche Abfolge appelliert wird, die als Entwicklungslinie auf der linken Seite tatsächlich durchgehalten ist. Gleichwohl gehört die trennende Figur von ihrer Erscheinungsweise her zur rechten Bildseite mit der optischen Konsequenz, daß sie nicht nur eine Grenze zwischen links und rechts markiert, sondern sie zugleich überwindet, Trennung und Verbindung in eins setzt.
Entsprechend den drei Fragen des Bildes geht es um Erkenntnis und damit um eine Standortbestimmung des Menschen. In diesem Sinn muß das Pflücken des Apfels im Zentrum des Bildes als das Pflücken einer Frucht vom Baum der Erkenntnis verstanden werden. Die Frucht dieser Erkenntnis findet sich auf der linken Seite visualisiert: Erkenntnis um den Preis des Todes; Erkenntnis, daß Leben vom Tod umschlossen ist, jene, auf konkreten Fakten basierende Erkenntnis, die rational begründet, sachlich gliedernd und hierarchisch ordnend die Strukturbildung der linken Seite veranlaßt.
Gleichwohl erscheint diese rational verfaßte Sichtweise, in einer Entwicklung von rechts nach links gelesen, unserer normalen Vorstellung nicht natürlich dargeboten, d.h. unserer natürlichen Lesegewohnheit zu widersprechen, die ja von links nach rechts voranschreitet. Insofern enthält die Sicht auf die Entwicklung der linken Bildseite offenbar den Appell, diese

auch umgekehrt zu lesen, also vom Ende zum Anfang hin, und damit verbunden die dringende Aufforderung, ein weiteres Mal eine Frucht vom Baum der Erkenntnis zu pflücken.
Dieser neuerliche Sündenfall eröffnet dann eine Verbindung von links nach rechts, wie seine Frucht die Erkenntnis einer neuen, entwicklungsindifferenten, nämlich rein in sich kreisenden Existenzmöglichkeit erhält, Erkenntnis folglich um den Preis des Lebens. Die Kunst veranlaßt diesen neuerlichen Sündenfall bzw. »wirkliche Malerei«, als deren Erkenntnisfrucht jene Öffnung des Blicks für ein sehendes Sehen benannt werden kann, das vermeintlich Wirkliches dem Wesen nach durchschaut und so eine Vision des Ganzen erwirbt.
Für die Erfahrung dieser neuen Sichtweise am Beispiel von »Woher kommen wir, wer sind wir, wohin gehen wir?« ist aber die Tatsache entscheidend, daß die beiden Bildteile nicht nur alternativ, sondern zugleich als aufeinanderbezogen betrachtet werden müssen. Nämlich in der Weise, daß prozessual und konkret gegen die Bildrichtung eine Sehrichtung sich entwickelt, weiterführt und durchhält, die beide Teile verbindet und damit den Blick öffnet für die eigentliche Bildaussage, die Idee menschlicher Existenz als einem zwanglos offenen, selbstgenügsamen, freien Sein in harmonischer Eintracht. Diese Durchsetzung einer neuen Sichtweise auf Wirklichkeit, radikal entgegengesetzt zur normalen, die Gauguin hier im Bild und als Bild fordert, kann aber als Wiederaufnahme und Präzisierung jener Forderung verstanden werden, welche er neun Jahre zuvor in der »Vision nach der Predigt« ausgesprochen hatte.

Auch in diesem Bild muß der die Bildhälfte trennende Baum als Baum der Erkenntnis verstanden werden, von dem ein zweites Mal die Frucht zu pflücken ist, um wahre Erkenntnis zu gewinnen. Denn ähnlich wie bei »Woher kommen wir, wer sind wir, wohin gehen wir?« zeigt die linke Seite die Konsequenz des ersten Sündenfalls: Erkenntnis des einzelnen, Faktischen, d.h. Empirischen um den Preis der Erkenntnis des Gesamten. Erst wenn in einem zweiten Sündenfall der Rahmen für diese Erkenntnis des partikular Faktischen, konkret, wenn die Grenze des Baumes überschritten wird, sehend und in der natürlichen Leserichtung von links nach rechts, kann wahre Erkenntnis zuteil werden: Erkenntnis des Gesamten, der uranfänglichen Einheit.
Allerdings, in der »Vision nach der Predigt oder Jakobs Kampf mit dem Engel« ist diese Einheit als Kampf thematisiert, nicht als harmonische Gemeinschaft wie in »Woher kommen wir, wer sind wir, wohin gehen wir?«. Das verweist auf unterschiedliche Konnotationen der Einheitsthematik bei den beiden Bildern. Im frühen Bild wird die Einheit stärker im Hinblick auf ihre Verlustgeschichte thematisiert, also im Hinblick auf Vergangenheit, im späten Bild dagegen stärker auf ihre Wiederkunftserwartung, also im Hinblick auf Zukunft: Utopie als Vision, Vision als Utopie.
Doch bleibt zu berücksichtigen, daß in der »Vision nach der Predigt« Einheit sich als Kampf in zweifacher Bedeutung verstehen läßt, als gewalttätiges Ringen und als liebende Umarmung, dissonant und harmonisch. Daß Gauguin dennoch den dissonanten Aspekt stärker betonte, scheint verständlich im Hinblick auf die Umstände des Bildfindungsprozesses und die Position, die der »Jakobskampf« in seinem Œuvre einnimmt. Wie ja

das Gegensätzliche, das noch nicht völlig Vereint- oder Synthetisiert-Sein der Teile, die auch in der Verbindung noch ihre Gegensätzlichkeiten behaupten, nicht nur die Bilderscheinung der »Vision nach der Predigt«, sondern die Bildkunst Gauguins insgesamt in den Jahren um 1890 prägt. Demnach der Kampf zwischen Vision im Bild und Vision als Bild, zwischen religiösem Ereignis-Bild und Genre-Darstellung, zwischen Fläche und Raum, zwischen Empirischem und Transempirischem.

## Kühne Äquivalente

Die »Vision nach der Predigt oder Jakobs Kampf mit dem Engel« bedeutete für Gauguin den Durchbruch zu selbständiger Künstlerschaft und zugleich die Festlegung eines eigenen, von Impressionisten und Pointillisten unabhängigen Wegs; sie brachte aber keine Anerkennung in der Öffentlichkeit. Der Pfarrer der Landkirche in Nizon war nicht der einzige, der dem Bild Gauguins verständnislos gegenüberstand. So erregte der »Jakobskampf« etwa in Brüssel auf der Ausstellung der »XX« von 1889 – wie der Kritiker und Organisator dieser Avantgarde-Ausstellungen, Octave Maus, berichtet – »die größte Heiterkeit... Die ›Vision nach der Predigt‹, symbolisiert durch den Kampf Jakobs mit dem Engel auf roter Wiese, führt zu der Annahme, der Künstler halte vorsätzlich die Betrachter zum Narren.«[61]
Auch wenn Maus selbst entschieden für Gauguin eintrat, fand das Bild doch auch bei Kollegen und Freunden keinen ungeteilten Beifall. Pissarros Reaktion auf den »Jakobskampf« wurde schon erwähnt: Einen Rückschritt sah er in diesem Gemälde und vermeinte die Errungenschaften des Impressionismus und seiner Steigerungsform, des Pointillismus, von Gauguin schändlich verraten: Nämlich Klarheit, Logik und Wissenschaft, kurz Aufklärung durch Kunst. Natürlich kritisierte Gauguin den Impressionismus mit jenem Bild, mußte Pissarro sich auch getroffen fühlen. Aber Gauguin kritisierte seinen Ausgangspunkt nicht anders als dies Cézanne oder van Gogh taten; dabei

wandte er sich vor allem gegen die Beliebigkeit des Motivischen und seine kalte Zerlegung in die Summe der Details; beanstandete auch die Reduktion des Anblicks auf einen Augenblick, die Ersetzung des »geöffneten Fensters« eines Alberti durch den ›Fensterblick‹ aus einem fahrenden Zug: Die Oberfläche, das Punktuelle, das Übergängige, so befand Gauguin, mache die moderne Malerei klein im Vergleich zur vergangenen. Deshalb will z. B. Cézanne wieder Museumskunst machen, solide, feste Kunst. Offensichtlich kam weiter, wer den Impressionismus produktiv kritisierte. Und um weiterzukommen, mußte man zurückgreifen, zumindest bis zum Ausgangspunkt jener Malerei, deren Endpunkt mit dem Impressionismus erreicht war.

Doch wurde nicht alles kritisiert oder gar verabschiedet. Die Selbstthematisierung der Malerei im Impressionismus, die Formierung ihrer bildlichen Mittel als Medienreflexion blieb die entscheidende Grundlage auch für eine Malerei nach dem Impressionismus: Das Avancierteste in der Malerei am Ende der neuzeitlichen Malereitradition geriet somit zur Grundlage der neuen Malerei, bei Cézanne nicht anders als bei Paul Gauguin. Bei Cézanne wurde es zum Ansatzpunkt einer Malerei parallel zur Natur, bei Gauguin zur Grundlage einer Malerei parallel zur Idee von Natürlichem. Versetzte sich Cézanne an den Ursprung der Welt, um sie so – aus dem Medium der Malerei – neu zu schöpfen, so versetzte sich Gauguin in die Rolle des Schöpfers, um die Idee der Schöpfung mit den Mitteln der Malerei zur Anschauung zu bringen. Geht es Cézanne um die Realisierung der Weltwerdung aus der Materialität der Farbe, so geht es Gauguin um die

Realisierung der Idee von Welt im Medium der Malerei. Cézanne benötigte für seinen Prozeß die Kontinuität der formwertigen Farbe, Gauguin bedurfte für seine Idee der Kontinuität der farbigen Formwerte. Cézanne will die Natur von Grund auf erneuern, in seiner Malerei den Prozeß der Natur neu beginnen. Gauguin will der Natur die Idee der Harmonie zurückgeben, jene Harmonie, welche durch das System des Dekorativen zur Geltung gebracht wird: Alles ist geformt, ist Form, ohne Selbstbezug. D. h., das Dekorative ist das gegenstandsunabhängig Geformte, Zusammenhängende, das alles mit jedem verbindet, ein Prinzip der Ordnung *vor* dem Gegenständlichen, ein gegenstandsloser Formzusammenhang, der als ein allein wirkender – harmonisch oder nicht – unmittelbar sympathetisch wahrgenommen wird.

Für diesen Zusammenhang der Formen sucht Gauguin gegenständliche Äquivalente, anschauliche Beispiele, um so seine Visionen einer universellen Harmonie konkretisieren, in der Wirklichkeit erschaubar machen zu können. Und auch diese Suche stellte sich häufig als Kampf dar, als Ringen um die ›sprechende‹ Gegenstandsform. Denn universelle Harmonie ist eine Idee und solcherart selbst nicht darstellbar, nicht gegenständlich zu fassen, sondern allenfalls mit Hilfe von Gegenständlichem bzw. im Gegenständlichen zu symbolisieren. Doch wird man Ideen nicht mit Symbolsetzungen erfahrbar machen können, sondern allenfalls dadurch, daß man Gegenständliches insgesamt in einer Weise gibt, daß jenes Andere, nur Vorstellbare, durch das so gegebene Gegenständliche hindurch gesehen werden kann. In besonderer Weise inszenierte Gegenständlichkeit muß so in den Blick bringen, was

sie selbst nicht ist, was aber nur durch sie und damit nur indirekt Anschauung gewinnen kann.
Wie Gauguin sich die Möglichkeit einer solchen indirekten Aussageform für Ideen im Bereich der Malerei dachte, kann seine »Lektion« deutlich machen, die er einem Schüler im Bois d'Amour in Pont-Aven im Herbst 1888 gegeben hat. Paul Sérusier, Vertrauensmann des »kleinen Ateliers« der Académie Julian, einer der bekannteren, privat geführten künstlerischen Lehranstalten in Paris, bemühte sich im September 1888 in Pont-Aven um einen erklärten Akademiegegner und künstlerischen Außenseiter, um Gauguin bzw. zunächst um dessen Freunde Bernard, Laval und Schuffenecker, da ihm der Mut fehlte, den eigenwilligen Gauguin selbst anzusprechen. Erst am letzten Tag seines Aufenthalts in Pont-Avent entschloß er sich, Gauguin aufzusuchen, der ihm, da er krank im Bett lag, anbot, am nächsten Morgen eine »Malstunde« im Bois d'Amour zu geben.
Dies war dann die Geburtsstunde des berühmten »Talisman« (Abb. 3), die als Konsequenz die Geburt einer neuen Künstlergruppe nach sich ziehen sollte, die der »Nabis« (Propheten), mit Maurice Denis, Paul Sérusier, Pierre Bonnard, Ranson und anderen. Gauguin betätigte sich also als Lehrer, und über den Inhalt seiner Lehre weiß Sérusier selbst folgendes zu berichten: »Wie sehen Sie diese Bäume?«, fragte Gauguin. »Sie sind gelb.« »Also setzen sie Gelb hin. Und der Schatten ist ziemlich blau. Malen Sie mit reinem Ultramarin. Diese roten Blätter. Nehmen Sie Zinnober.«[62] Und der Schüler trug die Farbe entsprechend den Anweisungen Gauguins auf den Deckel eines Zigarrenkastens.
 Somit entstand ein Bild, das als künstlerisch beherrsch-

tes, nämlich in harmonischer Weise geordnetes, allein durch reine Farbflächen bestimmt war.[63]
Was Gauguin hier lehrte, war das verallgemeinerbare Substrat seiner künstlerischen Auffassung: Die Übersetzung von Seherfahrung in einen reinen Wirkungszusammenhang aus Farbformen und die Rigorosität dieser Übersetzung. Zunächst und radikal, Dominanz der Fläche, die dann durch Unterteilung in wiederum einzelne Flächen aufgegliedert wird, welche zwar als Flächen miteinander verbunden, gleichzeitig aber sowohl durch die Farbe als auch durch die Konturierungen, hier weniger durch schwarze Linien als vielmehr durch die verschiedenen Formen der Treppungen, auch deutlich voneinander unterschieden sind.
Von der Unterteilung der Fläche in wiederum einzelne Flächen einerseits und der Art und Weise der Farbgebung dieser unterteilten Flächen andererseits ergibt sich aber ein Rhythmus, eine bestimmte Struktur und damit eine bestimmte beziehungsvolle Ordnung dieser abstrakt gegebenen, jedenfalls nicht gegenständlich bestimmbaren Flächen, die dem Betrachter eine feste Erfahrung vermittelt, z. B. die Erfahrung von schwebender Harmonie, bevor er jene macht, daß es sich bei diesem Harmonie erzeugenden Konstrukt auch um möglicherweise gegenständlich bestimmbare Formen handeln könnte. So etwa bei den großen gelben Flächen, die man natürlich auch als einen im Fluß Aven sich spiegelnden Baum wahrnehmen kann; oder bei den wie ein blaues Gatter wirkenden Vertikalen, die ebenfalls als im Fluß sich spiegelnde Baumstämme verstanden werden können; und so auch bei weiteren Formen, die – nach genauer Prüfung – mit konkreten Gegebenheiten der Örtlichkeit zu verbinden wären.

Entscheidend aber für den »Talisman« und seine Bedeutung als Lehrstück für die »Nabis«, doch nicht nur für sie, bleibt die Tatsache, daß sich dieses Bild zunächst und in ganz dezidierter Weise aus gegenstandsindifferenten, farbigen Flächen zusammensetzt und strukturiert und dennoch zu einer klaren, den Betrachter auch stark bewegenden Wirkung fähig ist. Eine Bildwirkung im übrigen, die im Gedächtnis bleibt, ohne daß man dafür gegenständlich einen Anhaltspunkt benennen könnte: Der »Talisman«, zweifellos auch eine Inkunabel moderner, gegenstandsloser Malerei.

Jedenfalls formierte sich um dieses ›Lehrstück‹ autonomer Malerei die Künstlergruppe der Nabis. Der Kopf dieser Gruppe, Maurice Denis, berichtet: »Im Herbst 1888 wurde uns Gauguins Name durch Sérusier bekannt, der aus Pont-Aven zurückkam und nicht ohne Geheimnistuerei den Deckel eines Zigarrenkistchens vorzeigte, auf dem eine Art Landschaft zu sehen war; eine unförmige Landschaft, denn sie war synthetisch dargestellt, mit Violett, Zinnoberrot, Veronesegrün und anderen reinen Farben, wie sie aus der Tube kamen, beinah ohne Beimischung von Weiß... So wurde uns zum ersten Mal auf paradoxe, unvergeßliche Weise der Begriff der ›von Farben in einer bestimmten Zusammenstellung bedeckten Fläche‹ vorgestellt... Und so lernten wir, daß jedes Kunstwerk eine Umsetzung, eine Karikatur, die leidenschaftliche Entsprechung einer empfangenen Empfindung ist.«[64] Denis schmolz dann Gauguins Lehre um in eine erste Definition moderner Malerei, die zugleich auch als Urdefinition von Malerei passieren könnte, daß nämlich ein Bild »vor allem eine glatte, mit Farben in einer bestimmten Anordnung bedeckte Fläche (sei), ehe es ein Schlachtroß, einen weiblichen Akt oder eine Anekdote (darstelle)«.[65] Eine erste Definition auch, welche die Malerei allein aus den Bedingungen des Mediums heraus zu fassen sucht und ihr damit völlig neue Darstellungsmöglichkeiten erschließt.

Daß sich Gauguin seiner Rolle als Entdecker künstlerischen Neulands durchaus bewußt war, bezeugt ein Brief vom Juni 1899 aus Tahiti, in dem er an Maurice Denis schreibt: »Damals war ich voll Wagemut, wollte für die kommende Generation die Freiheit erkämpfen und dann selbst arbeiten, um mir ein wenig Fertigkeit zu erwerben. Der erste Teil meines Programms hat seine Früchte getragen. Heute könnt Ihr alles wagen, und was mehr ist: keiner gerät darüber außer sich vor Staunen. – Der zweite Teil – ach! – ist weniger erfolgreich verlaufen.«[66] Gauguin, 1899 auf Tahiti, ein Mann, der nicht zufrieden auf bisher Geleistetes zurückblicken kann, da er vor allem vorausschauen muß und in der Zukunft nicht zu erkennen vermag, daß ihm seine Lehre gelohnt werden würde. Was er dagegen sieht, sind wiederum Kampf und Auseinandersetzung, Kampf mit Freunden und den ›Jungen‹, Auseinandersetzung mit den Behörden auf Tahiti, den Regierungsbeamten, kirchlichen Würdenträgern usw.

## Die wiedergefundene Wildheit

Kampf blieb folglich Gauguin auch in Tahiti und auf den Marquesas, er kam nicht zur Ruhe. Es sollte sich bewahrheiten, was er im Schicksalsjahr 1888 in dem Brief an Schuffenecker vom 15. Oktober vorausgesagt hatte: »Ich weiß sehr wohl, man wird mich immer weniger verstehen. Was tut's, wenn ich mich von den anderen trenne. Für die Masse bin ich ein Rätsel, für einige werde ich ein Dichter sein, und früher oder später muß das Gute sich doch durchsetzen. Was macht es schon! Wie dem auch sei, ich sage Ihnen, ich werde Bilder ganz ersten Ranges malen.«[67]
Tatsächlich wurde er immer weniger verstanden und tatsächlich malte er Bilder ersten Ranges. Mit diesen will er kämpfen, wie er Schuffenecker im November des gleichen Jahres anvertraut: »Ich will mich zu dem großen Kampf rüsten. Jetzt handelt es sich für mich um den kleinen Kampf zur Rettung meiner Kunst. Ich will erst zum Angriff übergehen, wenn ich alle notwendigen Waffen in der Hand habe (d. h. eine Vielzahl von Bildern ersten Ranges). Von anderen Machtmitteln weiß ich nichts.«[68]
Zu Lebzeiten hat Paul Gauguin diesen Kampf nicht gewinnen können; denn die Zustimmung von Degas und Monet (hier vor allem zur »Vision nach der Predigt«) oder die Wertschätzung Mallarmés, Octave Mirbeaus oder auch Albert Auriers können kaum als Sieg benannt werden, auch wenn Gauguin den Verlauf des »großen Kampfes« zeitweise anders beurteilte. Nach dem »Abschiedsbankett« zumindest glaubte er sich

dem Sieg denkbar nahe: »Ich versichere Dir: In drei Jahren werde ich die Schlacht gewonnen haben«, schreibt er am 24. 3. 1891 an seine Frau Mette.[69]
Doch die Hochstimmung hält nicht an. In einem Brief aus Tahiti an Daniel de Monfreid bekennt er: »Ich kann Ihnen versichern, was ich seit fünf Jahren durchgemacht habe, das war eine anständige Kraftprobe! Ich rede nicht von meinen Kämpfen als Maler, obwohl die auch nicht gerade wenig zählen. Aber der Kampf um das nackte Leben – – und niemals ein Gewinn für mich.«[70] Und dann – wieder aus Tahiti – an Morice im Juli 1901: »Ich liege am Boden, besiegt durch die Misere und vor allem krank und vorzeitig gealtert. Wird mir noch eine Frist vergönnt sein, um mein Werk zu vollenden?... Gewiß, die heutige Jugend, die Nutzen aus meiner Arbeit gezogen hat, ist mir was schuldig. Aber gerade, weil sie das weiß, wird sie nichts tun.«[71]
Schließlich im April, kurz vor dem Tod, aus Atuona an Morice: »Ich liege am Boden, aber ich bin noch nicht besiegt. Der Indianer, der am Marterpfahl noch lächelt, ist er besiegt?... Im Werk eines Künstlers offenbart sich seine Persönlichkeit. Es gibt zwei Arten von Schönheit: Die eine erwächst aus dem Instinkt, die andere ist das Ergebnis eingehender Studien... Wir sind in der Kunst lange Zeit in die Irre gegangen, verführt durch die Physik, die Chemie, die Mechanik, das Studium der Natur. Die Künstler hatten alle ihre ursprüngliche ›Wildheit‹ eingebüßt. Sie besaßen keinen Instinkt mehr, man könnte auch sagen, keine Vorstellungskraft mehr. So hatten sie sich in alle möglichen Seitenwege verirrt auf der Suche nach produktiven Anregungen, die sie nicht mehr die Kraft besaßen, aus sich selbst heraus zu erzeugen. Deshalb traten sie nur in

ungeordneten Haufen auf. Allein gelassen, hatten sie Angst und kamen sich wie verloren vor. Deshalb darf man auch nicht jedermann zuraten, sich in die Einsamkeit zu begeben. Denn man muß stark sein, um sie zu ertragen und für sich allein zu handeln. Alles, was ich von den anderen gelernt habe, hat mich nur gehemmt. Ich kann also sagen: Niemand hat mir etwas beigebracht, wenn ich auch nur wenig weiß. Aber mir ist das Wenige lieber, weil es von mir stammt. Wer weiß, ob das Wenige, wenn andere es ausbeuten, nicht doch eine große Sache wird? Wieviel Jahrhunderte dauert es doch, um etwas zu schaffen, was so aussieht wie eine Bewegung!«[72]

Am Boden, erniedrigt und physisch erschöpft, gibt Gauguin doch nicht auf, hält er aus, die ganze Nacht. Doch sollte sie nicht Jahrhunderte dauern, wie er vermeinte: Ein Jahrzehnt nur, und das, was Gauguin geschaffen hatte, war zu einer *Bewegung* geworden. Nicht nur wurde die Wildheit wiedergefunden, nannte man eine Gruppe von Malern um Matisse »Fauves«, Wilde; das Wenige, von dem Gauguin als Eigenem sprach, das andere ausbeuteten, sollte das Werk vieler beeinflussen, ja, zu einer Grundströmung der Malerei des 20. Jahrhunderts werden. Und das, was Gauguin in seinem Kampfbild der »Vision nach der Predigt« zum Angriff aufgeboten hatte, die Forderung nach einer neuen Weltsicht, die er dann auch praktisch durchsetzte im Kampf um das Wesen von Anschauung, fand selbst Aufnahme in ein Programmbild der Moderne, nämlich in Henri Matisses »Rotes Atelier« (Abb. 27).

Natürlich verweist die Visualisierung einer umfassenden Einheitssetzung bzw. der koloristisch geprägte Ausweis einer ursprünglichen Einheit, eben der rote

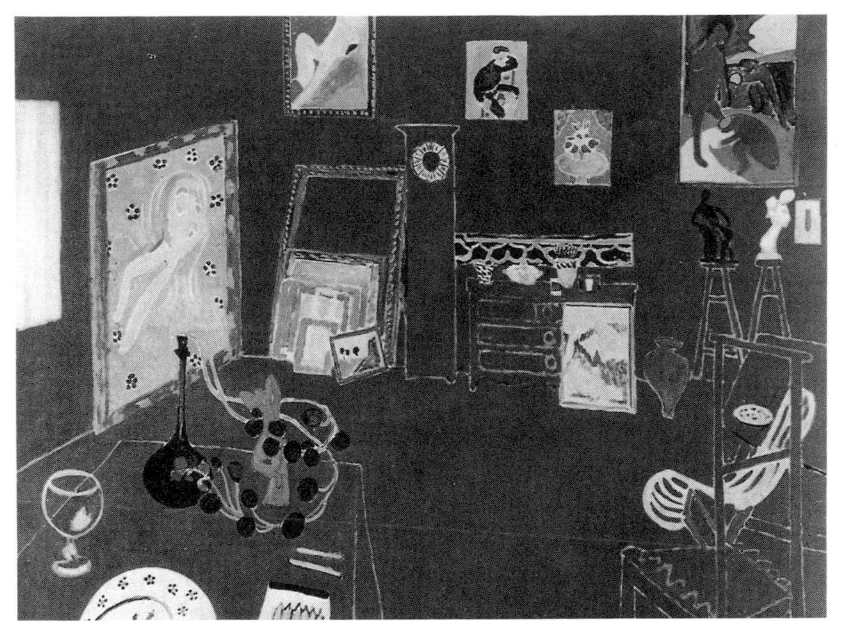

27 Henri Matisse, Das rote Atelier, 1911

Grund in diesem um 1911 entstandenen Gemälde unmittelbar auf den purpurfarbenen Einheitsgrund der »Vision nach der Predigt«. Aber Matisse geht weiter. Indem sein roter Grund zur Grundlage einer Atelierdarstellung verpflichtet wird, versteht sich seine Darstellung dezidiert als künstlerische Grundsatzerklärung, als seine gemalte Kunsttheorie. Auch Gauguins »Vision« hatte programmatischen Charakter, aber dieser entsprang einer Kampfsituation. Matisse hingegen formuliert sein Programm gleichsam akademisch, als Atelierdemonstration. Gleichwohl geht es in beiden Programmen um eine neue Sicht durch Kunst und dabei um eine genaue Umkehrung der Wertigkeit aller Werte unserer normalen Seherfahrung. Gauguins aktuelle Einforderung dieser neuen Sicht verallgemeinernd, legt Matisses »Atelier« mit allem Nachdruck dar, daß allein das Bild und bildliche Anschauung in die Lage versetzen, Wirklichkeit zu erkennen bzw. Wirklichkeit wirklich wahrzunehmen.

So wird auf den ersten Blick deutlich, daß in Matisses Atelier gerade jene, die normale Wirklichkeit repräsentierenden Gegenstände wie der Tisch, der Stuhl, die Kommode, die Uhr usw. weniger wirklich gegeben sind als die vermeintlich scheinhaften künstlerischen Gebilde. Denn der Tisch, die Stühle, die Kommode, die Uhr usw. sind lediglich durch weiße Linien angedeutet und damit durchsichtig auf den roten Grund hin, den ursprünglichen, aus dem heraus sich alle Gegenstandsformen entwickelt haben, aus dem heraus sie in Erscheinung treten.

Dabei ist entscheidend, daß diese so bildlich akzentuierten Gegenstände in einer unserer Wirklichkeitsvorstellung bzw. der darin festgelegten Hierarchie gegenständlichen Erscheinens genau entgegengesetzten Erscheinungsweise dargeboten sind: Die uns normalerweise faktisch gegebenen, nämlich konkret angefertigten und solchermaßen direkt zu verwendenden Dinge erweisen sich im Bild weniger wirklich als die künstlerisch gefertigten Gegenstände, also die der Malerei, der Skulptur oder der Keramik. Denn nur bei diesen Kunstgegenständen finden wir Festigkeit, Dichte und die Polychromie der Wirklichkeit, sehen wir auch eine klare Ordnung und systematische Anlage. Wohingegen die Gegenstände der Wirklichkeit, die Möbel und sonstigen Einrichtungsgegenstände, ja selbst das Zimmer insgesamt durchsichtig dargeboten sind, d.h. – vom roten Grund aus gesehen – auf einer niedrigeren Entwicklungsstufe zur Wirklichkeit, wenn man einmal eine solche Entwicklung vom Ungeformten zum Geformten, Festen und schließlich Farbigen annehmen möchte, belassen wurden: Allein die Kunstgegenstände zeigen sich zu voller Wirklichkeit entfaltet, besitzen wirklich Form und Farbe.

Genau diese Umkehrung hatte aber Gauguin mit seiner »Vision nach der Predigt oder Jakobs Kampf mit dem Engel« vorformuliert, freilich als Kampfparole, nicht als Gesetzestext: Durchschauen der vermeintlich wirklichen Gegenstände auf ihr Gemeinsames hin, den roten Grund; Einsehen in die Eigenformungen dieses roten Grundes als Vergegenwärtigungspotential von Ideen, die allererst im Prozeß der Bildhandlung zur Anschauung gelangen, d. h. wirklich erfahren werden können; und schließlich Wandel des Sehens, um solcherart ›Wirklichkeit‹ in der Wirklichkeit wahrnehmen zu können.

Infolgedessen könnte Matisses »Rotes Atelier« auch anschaulich unterstreichen, was Gauguin in einem Brief vom Juni 1890 an Bernard schrieb: »Eine Minute, da man an den Himmel rührt – den Himmel, der sofort wieder ins Unendliche flieht – dieser halb nur geahnte Traum, er ist mächtiger als alle materiellen Dinge.« Die Äußerung gibt eine Vorstellung von dem, was für Gauguin wirklich bzw. als Wirklichkeit mächtig ist, d. h. von den wahren Relationen und Kräften, die eine Umkehrung des normalen Welterkennens erzwingen, und die in der Wirklichkeit zur Geltung zu bringen, des Künstlers Pflicht, ja, künstlerische Verpflichtung sei. Tatsächlich möchte Matisses »Rotes Atelier« als die optische Manifestation einer solchen Umkehrung gesehen werden, als radikale Transposition dieses »Traumes« in

Wirklichkeit. Gauguins »Jakobskampf« hingegen zeigt mehr den Prozeß, das Umkehren selbst als das Ergebnis. Denn im Unterschied zum harmonischen, geradezu konfliktlosen »Roten Atelier«, in dem sich auf fast gesetzmäßig-objektive Weise die Hierarchie der Weltdinge umkehrt, so daß jene »Minute, da man an den Himmel rührt«, tatsächlich zur Ewigkeit gerinnt, vermag Gauguin im »Jakobskampf« diese Minute wirklich nur für Augenblicke, als Vision und nur im Kampf zu erleben. Nur im Kampf gelingt es, an den Himmel zu rühren, und nur für Augenblicke wird Einsicht zuteil. Doch sie lohnt den Kampf: »Ja, wir suchenden und denkenden Künstler – – es ist unser Schicksal, unter den Schlägen der Welt zusammenzubrechen, aber nur unser Leib zerbricht.«[73]

## Anmerkungen

**1** Flaubert, G.: Voyage en Bretagne. Par les champs et par les grèves, hrsg. von Maurice Nadeau, Paris 1989.
**2** 1857 Rennes, 1863 Dinant und Quimper; zur historischen Situation vgl. auch Le Paul, Charles-Guy: L'Impressionisme dans l'école de Pont-Aven. Monet, Renoir, Gauguin et leurs disciples, Lausanne-Paris 1983.
**3** Zitiert nach Rewald, J.: Von van Gogh bis Gauguin. Die Geschichte des Nachimpressionismus, Köln 1987, S. 173.
**4** Der Gang nach Nizon möchte als freie Darstellung eines Ereignisses verstanden sein, das quellenmäßig belegt ist bei: Bernard, E.: Souvenirs inédits sur l'artiste peintre Paul Gauguin et ses compagnons lors de leurs séjours à Pont-Aven et au Pouldu, Lorient 1939; Le chemin de Gauguin, genèse et rayonnement, Ausstellungskatalog, Saint-Germain-en-Laye 1986, S. 51; van Dovski, L.: Die Wahrheit über Gauguin, Darmstadt 1973, S. 111.
**5** Vgl. hierzu die angegebene Literatur in: Gauguin, Ausstellungskatalog, Paris 1989, S. 123 f.
**6** Diese Begriffe, die auf unterschiedliche Phänomene innerhalb des neuen Stils zielen, können auch als unterschiedliche Themasetzungen im Horizont »ideistischer Malerei« verstanden werden, vgl. S. 117 ff.
**7** Siehe S. 130 ff.
**8** Aurier, G. A.: Le Symbolisme en peinture. Paul Gauguin, in: Mercure de France, 2. März 1891, S. 155 ff.
**9** Merlhès, V.: Correspondance de Paul Gauguin. Edition complète des lettres de 1873-1888, Paris 1984, S. 239 f.; vgl. Hoog, M.: Paul Gauguin, München 1987, S. 80; die Skizze vermerkt nicht den Geistlichen rechts und gibt die Gruppe der Knieenden um eine Figur verkürzt.
**10** Vincent van Gogh, Sämtliche Briefe, hrsg. von Fritz Erpel, Bd. 4, Bornheim-Merten 1985, S. 340; vgl. Rewald, Nachimpressionismus, o. Anm. 3, S. 245.

11 Pissarro, C.: Lettres à son fils Lucien, hrsg. von John Rewald, Paris 1950, S. 234 f.; vgl. Rewald, Nachimpressionismus, o. Anm. 3, S. 324 f.

12 Rewald, Nachimpressionismus, o. Anm. 3, S. 213; diese Wertschätzung sollte einseitig bleiben; für Cézanne ist »Gauguin kein Maler..., er hat nur Chinoiserien gemacht«.

13 Paul Gauguin, Briefe, hrsg. von Maurice Malingue, übersetzt von H. Thiemke, Berlin 1960, S. 75.

14 Das 111,4 × 79,5 große Bild befindet sich in der Ny Carlsberg Glyptotek, Kopenhagen; vgl. Gauguin, Ausstellungskatalog, o. Anm. 5, S. 51 f.

15 Gauguin, Briefe, o. Anm. 13, S. 32.

16 Gauguin, Briefe, o. Anm. 13, S. 54 f.

17 Zu Pissarro und Gauguin siehe Hoog, Gauguin, o. Anm. 9, S. 43 ff.; Rewald, J.: Geschichte des Impressionismus, Leben, Werke und Wirkung der Künstler einer bedeutenden Epoche, Zürich 1957, S. 248 f. und 280 ff.

18 Zur Lehre Pissarros siehe Rewald, Impressionismus, o. Anm. 17, S. 280 f.

19 Vgl. Krumrine, M. L.: Paul Cézanne. Die Badenden, Ausstellungskatalog, Basel 1989.

20 Zumindest in den mittleren und späten Versionen, so daß eine ikonographisch basierte Aufschlüsselung, wie sie Krumrine versucht, eher vordergründig scheint.

21 Zitiert nach Rewald, Impressionismus, o. Anm. 17, S. 280.

22 Zur Auseinandersetzung um »dessin« und »coloris« vgl. Imdahl, M.: Farbe. Kunsttheoretische Reflexionen in Frankreich, München 1987, besonders S. 35-73.

23 Vgl. Gauguin, Ausstellungskatalog, o. Anm. 5, S. 119 f.

24 Vgl. Cézanne, Ausstellungskatalog, o. Anm. 19, S. 207.

25 Vgl. auch die Skizze zu den »Kämpfenden Knaben«, welche diese Verformung besonders deutlich macht, in: Gauguin, Ausstellungskatalog, o. Anm. 5, S. 120.

26 Gauguin, Briefe, o. Anm. 13, S. 78.



27 Gauguin, Briefe, o. Anm. 13, S. 94.

**28** Zur »Querelle« siehe auch Fontaine, A.: Les doctrines d'art en France. Peintres, Amateurs, Critiques de Poussin à Diderot, Paris 1909; Teyssèdre, B.: Roger de Piles et les débats sur le coloris au siècle de Louis XIV, Paris 1957; Heuck, E.: Die Farbe in der französischen Kunst des 17. Jahrhunderts, Straßburg 1929.
**29** Gauguin, Briefe, o. Anm. 13, S. 79.
**30** Van Gogh, Briefe, o. Anm. 10, Bd. 4, S. 214; vgl. Rewald, Nachimpressionismus, o. Anm. 3, S. 148.
**31** Van Gogh, Briefe, ebd., Bd. 5, S. 292; vgl. Rewald, Nachimpressionismus, o. Anm. 3, S. 246 f.
**32** Aurier, Le Symbolisme, o. Anm. 8, S. 155 f.; vgl. Hoog, Gauguin, o. Anm. 9, S. 81 f.
**33** Charles Baudelaire: Der Salon 1846, VI. Eugène Delacroix, in: Sämtliche Werke/Briefe, hrsg. von F. Kemp und C. Pichois, in Zusammenarbeit mit W. Drost, Bd. 1, München-Wien 1977, S. 212 f.
**34** Aurier, Le Symbolisme, o. Anm. 8, S. 158.
**35** Baudelaire, Die Weltausstellung 1855. Die schönen Künste II. Ingres, in: Sämtliche Werke, Bd. 2, München-Wien 1983, S. 238.
**36** Aurier, ebd., S. 160.
**37** Aurier, ebd., S. 157.
**38** Baudelaire, Sämtliche Werke, o. Anm. 35, Bd. 2, S. 232.
**39** Aurier, Le Symbolisme, o. Anm. 8, S. 160.
**40** Möglicherweise war die ansichtig zu sehende Kampfgruppe der Grund dafür, daß Aurier von einem »Hügel« sprach, auf dem der Kampf stattfindet, nahm er die in die Fläche geklappte Ferne konkret als aufsteigend, als Hügel wahr.
**41** Zu Gauguin und dem Japonismus bzw. zu Gauguins archaischen Vorbildwelten siehe auch Wichmann, S.: Japonisme: The Japanese Influence on Western Art in the 19th and 20th Centuries, New York 1981; Field, R.: Plagiaire ou créateur? in: Paul Gauguin, hrsg. von V. Forrester, Paris 1986, S. 115 ff.; Cachin, F.: Du japonais breton par un sauvage du Pérou, in: Cachin, F.: Gauguin, Paris 1988, S. 57 ff.

42 In diesem Zusammenhang muß auch die Farbe Rot gesehen werden, die keinesfalls mutwillig bzw. willkürlich gewählt, sondern sehr bewußt eingesetzt wurde, nämlich als Farbe der prinzipiellen Einheit. Goethe zufolge enthält Purpurrot »teils actu, teils potentia alle andern Farben... Wenn wir beim Gelben und Blauen eine strebende Steigerung ins Rote sehen und dabei unsre Gefühle bemerkt haben, so läßt sich denken, daß nur in der Vereinigung der gesteigerten Pole eine eigentliche Beruhigung, die wir eine ideale Befriedung nennen möchten, stattfinden könne. Und so entsteht bei physischen Phänomenen diese höchste aller Farberscheinungen aus dem Zusammentreten zweier entgegengesetzten Enden, die sich zu einer Vereinigung nach und nach selbst vorbereitet haben.« Goethe, Zur Farbenlehre, Didaktischer Teil, Hamburger Ausgabe, Bd. XIII, Naturwissenschaftliche Schriften I, S. 499 f.

43 Diesem Perfektionierungsdrang bereitete freilich die Photographie ein natürliches Ende. Auch von daher waren neue Leitlinien für den künstlerischen Umgang mit Wirklichkeit gefragt.

44 Es sei denn, man könnte den Baum als Symbol für Trennendes ganz allgemein nehmen und ihn von daher in Verbindung mit dem Bach in der Jakob-Geschichte (Genesis, 32, 23-33) bringen oder auch als Hinweis auf einen baumbestandenen Ort verstehen; in diesem Zusammenhang müßte dann die Kuh als Hinweis für die Herde, die – gemäß der Geschichte – schon über den Fluß gebracht worden war, herhalten; das heißt, man müßte die bildliche Darstellung mit ihren Besonderheiten direkt in Verbindung zur alttestamentarischen Szene bringen und dabei die konkret scheinenden Motive teilweise allegorisch oder symbolisch nehmen, was angesichts des Bildes insgesamt und des Bildkonzepts als abwegig abgetan werden kann.

45 Daß diese Ortsbestimmungen – was die biblische Quelle betrifft – nicht nur nicht eindeutig, sondern in ihrer Uneindeutigkeit auch auf unterschiedliche Sinnbestimmungen

ausgerichtet sind, und zwar ganz bewußt, zeigt Roland Barthes in: Der Kampf mit dem Engel. Textanalyse der Genesis 32, 23-33, in Barthes, R.: Das semiologische Abenteuer, Frankfurt 1988, S. 251 ff.

**46** Zu Rembrandts »Jakob ringt mit dem Engel« siehe Tümpel, Chr.: Rembrandt. Mythos und Methode, Königstein/Ts. 1986, S. 293 u. 392.

**47** Gauguin, Briefe, o. Anm. 13, S. 23 f.

**48** Aurier, Le Symbolisme, o. Anm. 8, S. 163.

**49** Aurier, ebd., S. 162 f., zitiert nach Rasch, W.: Fläche, Welle, Ornament. Zur Deutung der nachimpressionistischen Malerei des Jugendstils, in: Festschrift Werner Hager, hrsg. von G. Fiensch u. Max Imdahl, Recklinghausen 1966, S. 144 f.

**50** Immanuel Kant, Kritik der Urteilskraft, in: Werke, hrsg. von W. Weischedel, Bd. 8, Darmstadt 1968, S. 460.

**51** Gauguin, Briefe, o. Anm. 13, S. 194.

**52** Zitiert nach Huyghe, R.: Gauguin, München 1977, S. 29.

**53** Der Begriff wurde zuerst von Edouard Dujardin in der »Revue Indépendante« (19. 5. 1888) für Werke des Malers Anquetin verwandt; vgl. Rewald, Nachimpressionismus, o. Anm. 3, S. 109.

**54** Hoog, Gauguin, o. Anm. 9. S. 92.

**55** Gauguin, Briefe, o. Anm. 13, S. 185.

**56** Gauguin, Briefe, ebd., S. 79.

**57** Gauguin, Briefe, ebd., S. 79.

**58** Gauguin, Briefe, ebd., S. 94; bzw. Rewald, Nachimpressionismus, o. Anm. 3, S. 145 f.

**59** Am Abend des 23. 12. verließ Gauguin das »gelbe Haus«, um einen Spaziergang zu machen. Van Gogh, der seit einiger Zeit argwöhnte, Gauguin wolle ihn verlassen, folgte ihm. Gauguin hörte die wohlbekannten Schritte hinter sich und drehte sich um. Er sah einen verstörten van Gogh vor sich, angeblich mit einem offenen Rasiermesser in der Hand, im Begriff, sich auf ihn zu stürzen. Wiederum Gauguin zufolge hielt aber die Macht seines Blickes van Gogh auf, der sich dann auch abwandte und ins Haus zurückeilte. Gauguin nahm sich daraufhin ein Zimmer, verbrachte die Nacht in einem Hotel. Als er am nächsten Morgen zum »gelben Haus« kam, war dort die Polizei und alles in hellster Aufregung. Van Gogh hatte sich in einem Anfall von »Gehörhalluzination das linke Ohr« abgeschnitten. Und nachdem »er den Blutstrom gestillt hatte, zog er eine Baskenmütze über den Kopf, wusch das abgetrennte Ohr, wickelte es ein und eilte zu dem Bordell, das Gauguin und er gewöhnlich besuchten«. Er überreichte einem der Mädchen das Päckchen und kehrte in sein Zimmer zurück, wo er dann wegen des starken Blutverlustes in Ohnmacht fiel. So fand ihn die Polizei, die vom Bordell aus alarmiert worden war; vgl. Rewald, Nachimpressionismus, o. Anm. 3, S. 157.

**60** Zumindest muß man diese Frage stellen, die für Zurcher beantwortet ist; Zurcher, B.: Vincent van Gogh, München-Fribourg 1985, S. 212; siehe auch Paul Gauguin: Vorher und Nachher, übersetzt von E.-E. Schwabach, München 1920, S. 20ff.

**61** Rewald, Nachimpressionismus, o. Anm. 3, S. 160; dennoch sollte die »Vision nach der Predigt« auch durch den auf der Auktion vom 23. 2. 1891 erzielten Verkaufspreis auffallen. 900 francs bot Henri Meilheurat des Pruraux für das Bild, das Gauguin folglich mit Abstand den meisten Gewinn brachte; vgl. Gauguin, Exposition du Centenaire, Paris 1949, S. 16f.

**62** Siehe Rewald, Nachimpressionismus, ebd., S. 115; Hoog, Gauguin, o. Anm. 9, S. 294.

**63** Vgl. auch die weiteren Ausführungen Sérusiers: »Gauguin bestand auf einem logischen Aufbau der Komposition, harmonischer Verteilung von hellen und dunklen Farbflächen, auf Vereinfachung von Formen und Proportionen, um den Umrissen starken und beredten Ausdruck zu verleihen«; zitiert nach Rewald, Nachimpressionismus, ebd., S. 115.



**64** Zitiert nach Hoog, Gauguin, o. Anm. 9, S. 294.

**65** Zitiert nach Rewald, Nachimpressionismus, ebd., S. 343.
**66** Gauguin, Briefe, o. Anm. 13, S. 184f.
**67** Gauguin, Briefe, ebd., S. 90.
**68** Gauguin, Briefe, ebd., S. 91f.
**69** Gauguin, Briefe, ebd., S. 124.
**70** Gauguin, Briefe, ebd., S. 130.
**71** Gauguin, Briefe, ebd., S. 192.
**72** Gauguin, Briefe, ebd., S. 207f.
**73** Gauguin, Briefe, ebd., S. 111.

## Lebensdaten

**1848** Am 7. Juni wird Eugène Henri Paul Gauguin als zweites Kind des Redakteurs und Republikaners Clovis Gauguin und seiner Ehefrau Aline Marie Chazal geboren.
**1849** Nach dem Wahlsieg Louis-Napoléon Bonapartes verläßt die Familie Frankreich, um sich in Peru niederzulassen; der Vater stirbt auf der Überfahrt.
**1855** Rückkehr nach Frankreich; Paul besucht verschiedene Schulen in Orléans und Paris.
**1865** Siebzehnjährig heuert Gauguin als Steuermannsjunge auf der »Luzitano« an; macht Karriere und als 2. Leutnant 1866-1867 eine Weltreise auf der »Chili«.
**1866** Tod der Mutter. Gustave Arosa, Börsenmakler und Kunstsammler, wird zum Vormund bestimmt.
**1868** Zur Kriegsmarine verpflichtet, nimmt Gauguin 70/71 am deutsch-französischen Krieg teil.
**1871** Entlassung aus der Kriegsmarine. Durch Vermittlung seines Vormunds erhält er eine Anstellung beim Wechselmakler Paul Bertin.
**1873** Heirat mit der Dänin Mette-Sofie Gad. Betätigt sich als Kunstsammler und Sonntagsmaler.
**1874** Gauguin besucht die Akademie Colarossi und lernt Pissarro kennen. Geburt des Sohnes Émile, des ersten von fünf Kindern.
**1876** Zulassung zum Salon (»Gehölz in Viroflay, Seine-et-Oise«).
**1879** Zusammenarbeit mit Pissarro in Pontoise. Wird von diesem und Degas zur Teilnahme an der 4. Impressionisten-Ausstellung aufgefordert. Beteiligt sich nachfolgend an allen Impressionisten-Ausstellungen (bis 1886).
**1881** Zusammenarbeit mit Pissarro und Cézanne in Pontoise.
**1883** Gauguin verliert seine Anstellung oder gibt sie selbst auf.

**1884** Umzug nach Rouen – aus wirtschaftlichen Gründen – und dann nach Kopenhagen zu den Schwiegereltern.
**1885** Erfolglose Ausstellung in Kopenhagen. Nach Streit mit Schwiegereltern kehrt Gauguin mit seinem Sohn Clovis nach Paris zurück. Die übrigen Kinder bleiben mit Mette in Dänemark.
**1886** Erster Aufenthalt in Pont-Aven. Lernt Émile Bernard kennen und – wieder zurück in Paris – Theo und Vincent van Gogh.
**1887** Reise nach Panama und La Martinique mit Laval.
**1888** Zweiter Aufenthalt in Pont-Aven. Zusammenarbeit mit Bernard. Malt die »Vision nach der Predigt oder Jakobs Kampf mit dem Engel«. Im Oktober Reise nach Arles zu Vincent van Gogh. Nach dem »Drama« am 23. 12. überstürzte Abreise nach Paris.
**1889** Ausstellung im Salon der »XX« in Brüssel. Gauguin zeigt 12 Gemälde, darunter die »Vision nach der Predigt oder Jakobs Kampf mit dem Engel«. Zusammen mit Bernard, Schuffenecker, Anquetin, de Monfreid und Louis Roy Ausstellung im Café Volpini (während der Weltausstellung). Dritter Aufenthalt in Pont-Aven, danach in Le Pouldu.
**1890** Zweiter Aufenthalt in Le Pouldu. Gauguin bereitet seine Umsiedlung in die Südsee vor. Tod Vincent van Goghs in Auvers-sur-Oise am 29. Juli.
**1891** Erfolgreiche Auktion von Gauguins Bildern im Hôtel Drouot. Gauguin verkauft dreißig Bilder für insgesamt 9860 francs. Abschiedsbankett im Café Voltaire, dem Mallarmé präsidiert. Aufbruch nach Tahiti am 4. April.
**1893** Rückkehr nach Frankreich wegen Erkrankung und Geldmangel. Eine Erbschaft verbessert seine Situation. Ausstellung bei Durand-Ruel.
**1894** Letzter Aufenthalt in der Bretagne.
**1895** Gauguin beschließt Rückkehr nach Tahiti. Neuerliche, aber diesmal wenig erfolgreiche Auktion seiner Bilder im Hôtel Drouot. Aufbruch zur 2. Tahiti-Reise am 3. April trotz Krankheit und Geldsorgen.

**1897** Nach dem Tod seiner Tochter Aline Depressionen und Lebensmüdigkeit. Malt »Woher kommen wir, wer sind wir, wohin gehen wir?«. Danach Selbstmordversuch.
**1898** Die quälende finanzielle Situation zwingt Gauguin, als Zeichner für das Katasteramt zu arbeiten.
**1899** Aufgabe der Fremdarbeit, da sich die finanziellen Verhältnisse deutlich gebessert haben.
**1901** Gauguin verkauft sein Haus auf Tahiti und zieht auf die Marquesas nach Hiva-Oa. Baut sich das »Haus des Genießens« in Atuona.
**1902** Auseinandersetzung mit Bischof und Kolonialverwaltung. Sein Gesundheitszustand verschlechtert sich zusehends: Herzerkrankung und Syphilis. Erwägt Rückkehr nach Frankreich. Daniel de Monfreid rät ab.
**1903** Anklage wegen Beleidigung eines Gendarmen und Verurteilung zu drei Monaten Haft und 500 francs Geldbuße. Gauguin besitzt nicht mehr die Kraft, sich zu verteidigen. Er stirbt am 8. Mai.

# Bibliographie


## Texte von Paul Gauguin

Paul Gauguin, L'Ancien Culte mahorie, Faksimile-Ausgabe, hrsg. von R. Huyge, Paris 1951
Paul Gauguin, Noa Noa, dt. Ausgabe Berlin 1925
Paul Gauguin, Le Cahier pour Aline, Faksimile-Ausgabe, hrsg. von S. Damiron, Paris 1963
Paul Gauguin, Avant et Après, Faksimile-Ausgabe, Leipzig 1903, dt. Ausgabe München 1920
Paul Gauguin, Oviri. Ecrits d'un sauvage, hrsg. von D. Guérin, Paris 1974

## Briefe

Correspondence de Paul Gauguin. 1873-1888, Bd. 1, hrsg. von Victor Merlhès, Paris 1984
Lettres de Paul Gauguin à Émile Bernard, 1888-1891, Gent 1954
Lettres de Paul Gauguin à Georges-Daniel de Monfreid, hrsg. von Victor Segalen, Paris 1918; deutsch von H. Jacob, Potsdam 1920
Lettres de Gauguin à sa femme et à ses amis, hrsg. von M. Malingue, Paris 1946; deutsch von H. Thiemke, Berlin 1960
Paul Gauguin: Letters to Ambroise Vollard and André Fontainas, hrsg. von J. Rewald, San Francisco 1943

## Ausgewählte Literatur zu Gauguin

Aurier, Albert, Le Symbolisme en peinture. Paul Gauguin, in: Mercure de France, 2. März 1891, S. 155 ff.
Bernard, Émile, Souvenirs inédits sur l'artiste peintre Paul Gauguin et ses compagnons lors de leur séjour à Pont-Aven et au Pouldu, Lorient 1939
Cachin, Françoise, Gauguin, Paris 1968
Chassé, Charles, Gauguin et son temps, Paris 1955

Denis, Maurice, Von Gauguin und van Gogh zum Klassizismus, in: Kunst und Künstler, 8, 1910, S. 86ff.
Dorival, Bernard, Carnet de Tahiti de Paul Gauguin, Paris 1954
Dorival, Bernard, Sources of the Art of Gauguin from Java, Egypt and Ancient Greece, in: Burlington Magazine, 93, Nr. 577, 1951, S. 118ff.
Gauguin, Pola, My Father, Paul Gauguin, New York 1937
Gray, Christopher, Sculpture and Ceramics of Paul Gauguin, Baltimore 1963
Guérin, Marcel, L'Œuvre gravé de Gauguin, Paris 1927
Hoog, Michel, Paul Gauguin, München-Fribourg 1987
Huyghe, René, Paul Gauguin, Paris 1959
Inboden, Gudrun, Mallarmé und Gauguin. Absolute Kunst als Utopie, Stuttgart 1978
Jaworska, Wladyslawa, Gauguin et l'école de Pont-Aven, Neuchâtel 1971
Leymarie, Jean, Paul Gauguin, aquarelles, pastels et dessins en couleurs, Basel 1960
Malingue, Morice, Gauguin, Paris 1948
Morice, Charles, Gauguin, Paris 1920
Rewald, John, Gauguin, Paris 1938
Rewald, John, Gauguin, Drawings, New York/London 1958
Rewald, John, Die Geschichte des Impressionismus, Köln 1965
Rewald, John, Von van Gogh bis Gauguin. Die Geschichte des Nachimpressionismus, Köln 1987
Rotonchamp, Jean de, Paul Gauguin. 1848-1903, Weimar 1906, Paris 1925
Thomson, Belinda, Gauguin, London 1987
Van Dovski, Lee, Die Wahrheit über Gauguin, Darmstadt 1973
Wildenstein, Georges (Hrsg.), Gauguin, sa vie, son œuvre. Studien und Dokumente, Sondernummer der Gazette des Beaux-Arts mit Beiträgen von L. J. Bouge, Jénot, G. Le Bron-

nec, J. Loize, U.F. Marks-Vandenbroucke, H. Rostrup, Y. Thirion, G. Wildenstein, Paris 1958
Wildenstein, Georges, Gauguin, hrsg. von R. Cogniat und B. Wildenstein, Vol. I, Katalog, Paris 1964

## Abbildungsverzeichnis

**18** Paul Gauguin, Tanz der vier bretonischen Bäuerinnen, um 1886.
72 × 91 cm, München, Bayerische Staatsgemäldesammlungen, Neue Pinakothek
**19** Paul Gauguin, Vision nach der Predigt, Ausschnitt
**20** Hokusai, Kampfszenen, aus: Mangwa, 6. Band, 1817
**21** Eugène Delacroix, Jakobs Kampf mit dem Engel, 1856-1861.
714 × 485 cm, Paris, Saint-Sulpice, Kapelle der Heiligen Engel
**22** Eugène Delacroix, Jakobs Kampf mit dem Engel, Ausschnitt
**23** Rembrandt Harmensz van Rijn, Jakob ringt mit dem Engel, 1659.
137 × 116 cm, Berlin-Dahlem, Gemäldegalerie
**24** Gustave Moreau, Jakob und der Engel, 1878.
255 × 147,5 cm, Cambridge (Mass.), Fogg Art Museum, Harvard University
**25** Vincent van Gogh, Bretonische Frauen und Kinder, 1888, nach Bernards »Bretoninnen in der Wiese«.
47,5 × 62 cm, Mailand, Civica Galleria d'Arte Moderna
**26** Paul Gauguin, Woher kommen wir, wer sind wir, wohin gehen wir?, 1897.
139,1 × 374,6 cm, Boston, Museum of Fine Arts, Sammlung Tompkins
**27** Henri Matisse, Das rote Atelier, 1911.
181 × 219 cm, New York, Museum of Modern Art

## Abbildungsnachweis

Le Chemin de Gauguin: Genèse et rayonnement, Ausstellungskatalog, Musée départemental du Prieuré, 2bis, rue Maurice-Denis, 78100 Saint-Germain-en-Laye, [2]1986: Abb. 2 (S. 50); Abb. 12 (S. 47); Abb. 22 (S. 46).
Michel Hoog, Paul Gauguin, Hirmer Verlag und Office du Livre Fribourg, München 1987: Abb. 3 (S. 297, Abb. 209); Abb. 4 (S. 77, Abb. 48); Abb. 7 (S. 54, Abb. 30); Abb. 20 (S. 74, Abb. 45).
Alberto Martini, Impressionismus. Von Degas bis Pissarro, Galerie der klassischen Moderne. Malerei des 19. und 20. Jahrhunderts, Schuler Verlag, Herrsching 1988: Abb. 5 (Tafel 51).
Charles-Guy Le Paul, L'Impressionisme dans l'École de Pont-Aven, La Bibliothèque des Arts, Lausanne-Paris 1983: Abb. 6 (S. 69).
Bernard Dorival, Cézanne, Wolfgang Krüger Verlag, Hamburg 1949: Abb. 8 (S. 131).
Alberto Martini, Cézanne und der Nachimpressionismus, Galerie der klassischen Moderne. Malerei des 19. und 20. Jahrhunderts, Schuler Verlag, Herrsching 1988: Abb. 9 (Tafel 14).
Puvis de Chavannes, 1824-1898, Ausstellungskatalog, Édition des musées nationaux, Paris 1976: Abb. 10 (S. 177, Abb. 155); Abb. 11 = Ausschnitt aus Abb. 10.
Tom Prideaux, Delacroix und seine Zeit, 1798-1863, Time-Life International (Nederland) B.V., 1971: Abb. 23 (S. 185); Abb. 24 = Ausschnitt aus Abb. 23.
Horst Gerson, Rembrandt, Gemälde, Bertelsmann Kunstverlag Reinhard Mohn, Gütersloh 1969: Abb. 25 (S. 412, Abb. 346).
Pierre-Louis Mathieu, Gustave Moreau, Office du Livre Fribourg und W. Kohlhammer, Stuttgart, Berlin 1976: Abb. 26 (S. 136).

J. F. Walther – R. Metzger, Vincent van Gogh, Sämtliche Gemälde, Benedikt Taschen Verlag, Köln 1989: Abb. 27 (Bd. II, S. 472).
Robert Goldwater, Paul Gauguin, M. DuMont Schauberg, Köln 1957: Abb. 28 (S. 9).
Pierre Schneider, Matisse, Prestel-Verlag, München 1984: Abb. 29 (S. 347, Abb. 408).
Das zentrale Bild: Gauguin, Vision nach der Predigt oder Jakobs Kampf mit dem Engel, befindet sich in Edinburgh, in der National Gallery of Scotland. Abbildungen 13, 14, 15, 16, 17, 18, 19 und 21 sind jeweils Ausschnitte aus diesem Bild.